Collins

formule X

MARTINE PILLETTE

GOLD

3

Welcome to Formule X3!

In *Formule X 3* you will recognize some familiar features:

- **message X** : handy tips to work and learn better;
- **grammaire X** : grammar rules to help you to speak and write more accurately and to make more complex sentences;
- **eXpo** : for reinforcement, recycling and extension;
- **de mieuX en mieuX** : more challenging activities that give you the chance to show the very best you can do;
- **teXto** : reading passages for information and enjoyment.

Tu commences bien?

1 In French, can you name:

a five types of TV programme?
b five supermarket sections?
c five cafeteria-style foods?
d five ingredients suitable for sandwiches?
e five sports rarely available in schools?
f five colours a parrot can be?
g five time phrases (not days/months)?
h five things one can do on a train?

2 Which of these words is invariable?

a mauvais (bad)
b blanc (white)
c souvent (often)
d premier (first)

3 Which of these adjectives is spelt differently in the feminine?

a calme
b marron
c orange
d amusant

4 How do you pronounce these adjectives?

a bon
b vert
c bleu
d ancien

5 How do you spell the adjectives from question **4** in the feminine singular?

6 How do you say the adjectives from question **5**?

7 Write these adjectives in the masculine plural:

a orange

b marron

c curieux

d gris

8 Translate these:

a une glace

b de la glace

9 Which of these sentences is grammatically correct?

a Je n'ai pas de portable.

b Je n'ai pas un portable.

c Je n'ai pas portable.

10 Translate into English:

a Comment est ton prof de dessin?

b Il s'appelle comment?

c Ça s'écrit comment?

d Comment est-ce qu'il vient au collège?

11 Apostrophes need not interfere with pronunciation. Practise saying these sentences aloud:

a J'ai faim.

b Il s'appelle Samuel.

c C'était cher?

d Est-ce qu'il y a un magasin?

e Elle a décidé d'arriver samedi.

f D'accord! Mais d'abord, j'achète l'œuf en chocolat.

12 Paying special attention to the sounds that are underlined, practise saying these sentences aloud:

- **a** Ma ville est à l'est.
- **b** Mes parents gagnent souvent.
- **c** Sa famille habite dans ma ville.
- **d** Ma mère aime faire du roller.
- **e** Ma sœur déjeune sans beurre.
- **f** Je cours toujours pour faire les courses.

13 Can you say these verbs in full in the present tense?

- **a** faire
- **b** vouloir
- **c** être
- **d** aller
- **e** avoir

14 Complete the sentences with these verbs:
allons – voulez – fait – faites – peux – sommes – voulons

- **a** Vous [redacted] travailler au brouillon?
- **b** Je [redacted] changer de place?
- **c** Nous [redacted] rarement au bowling.
- **d** Elle [redacted] toujours ses devoirs seule.
- **e** Nous [redacted] aller au cinéma.
- **f** Vous [redacted] souvent de l'athlétisme?
- **g** Nous [redacted] trop fatigués pour faire du sport.

15 Do these sentences refer to past, present or future?

- **a** Il va gagner.
- **b** Je vais prendre le train.
- **c** Elle va perdre la compétition.
- **d** Nous allons voir deux films.
- **e** Ils vont manger en ville.
- **f** Vous allez faire les courses?

16 Can you say these verbs in the perfect tense singular?

a manger
b finir
c perdre
d voir
e prendre

17 Can you write the verbs from question **16** accurately?

18 What is the past participle of these verbs?

a lire
b avoir
c gagner
d faire
e boire
f être

19 Make these sentences negative:

a Je mange trop.
b Nous aimons la natation.
c Mes parents font mes devoirs.

20 Are these groups of nouns masculine or feminine?

a café – thé – marché – supermarché
b librairie – pharmacie – boucherie – boulangerie
c casquette – lunettes – toilettes
d jambon – saucisson – crayon – poisson
e maison – chanson – leçon
f télévision – compétition – natation – équitation - promotion

Best of luck with *Formule X3*!

Martine Pillette

Symptômes

Explaining that you are unwell
Coping with familiar language in a new context

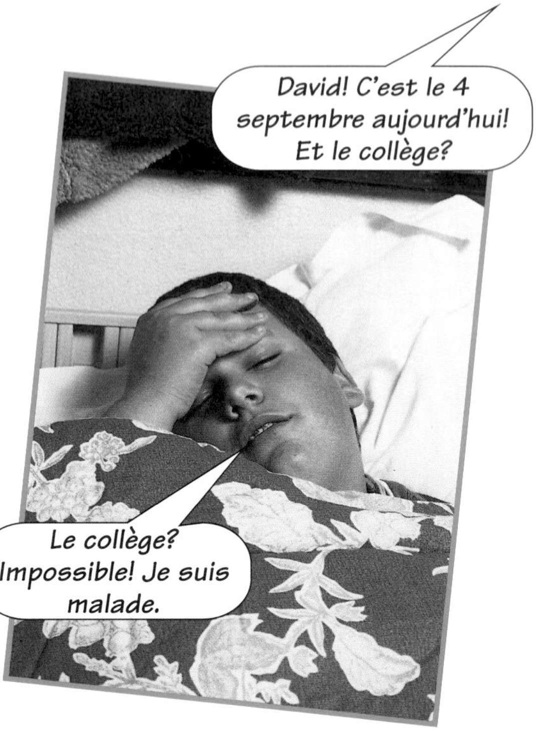
David! C'est le 4 septembre aujourd'hui! Et le collège?
Le collège? Impossible! Je suis malade.

1 **a** Devine à l'aide du dessin:

malade = **a)** fed up; **b)** tired; **c)** ill?

b Ecoute les questions de ton professeur et réponds «oui» ou «non».

Exemple

Tu es malade quand . . . il y a dessin au collège?

2 Entraînez-vous à deux à l'aide des dessins et d'*AnneXe* p2.

Exemple

Tu es malade? Qu'est-ce que tu as?

J'ai mal à la gorge.

C'est le dessin F!

A
B
C
D
E
F
G
H

3 **a** Ecoute les invitations **1–8** et écris les activités.

Exemple

1 Tu viens faire de la voile? *1 voile – sailing*

b Réécoute **1–8** et refuse oralement: dis un symptôme.

Exemple

Désolé(e), je suis malade: j'ai froid.

4 Fais correspondre **1–8** et **A–H**, puis vérifie à l'aide de la cassette/du CD.

1. Tu as froid?
2. Tu as chaud?
3. Tu as de la fièvre?
4. Tu as mal au cœur?
5. Tu as de l'asthme?
6. Tu as mal à la gorge?
7. Tu as mal au ventre?
8. Tu as mal à la tête?

- **A** Oui, j'ai mangé trop de chocolat.
- **B** Oui, ferme la fenêtre s'il te plaît.
- **C** Oui, vite! Où sont les toilettes?
- **D** Oui, je ne peux pas parler.
- **E** Oui, j'ai 39 ou 40(°C).
- **F** Oui. C'est trop bruyant!
- **G** Oui, ouvre la fenêtre s'il te plaît.
- **H** Oui, c'est la pollution.

5 **a** A deux, entraînez-vous à compléter **1–8** oralement.

achète bois écoute parle peux reste mange vais

1. Quand j'ai mal au ventre, je ne [redacted] pas beaucoup.
2. Quand j'ai froid, je [redacted] du thé.
3. Quand je suis malade, je [redacted] chez moi.
4. Quand j'ai mal à la tête, je n'[redacted] pas mes CD.
5. Quand j'ai mal au cœur, je [redacted] dans la salle de bains!
6. Quand j'ai de la fièvre, j'[redacted] de l'aspirine.
7. Quand j'ai mal à la gorge, je ne [redacted] pas beaucoup.
8. Quand j'ai de l'asthme, je ne [redacted] pas jouer au tennis.

b Recopie et complète **1–8**.

Remèdes

Asking for medicine
The imperative singular (recycling)
Coping with familiar language in a new context
Coping with longer listening passages

1 A deux, regardez les photos et imitez l'exemple:

Sur la photo A, il y a de l'aspirine ou des Kleenex?

Il y a des Kleenex.

message X

Use *AnneXe* p2 to start with, then less and less as you go along.

A
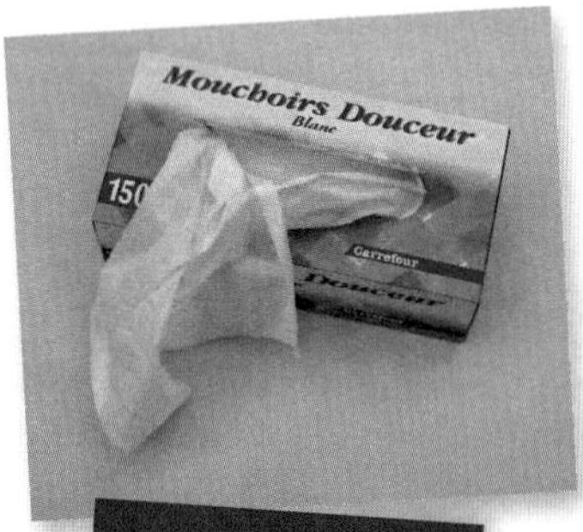
Mouchoirs Douceur

B
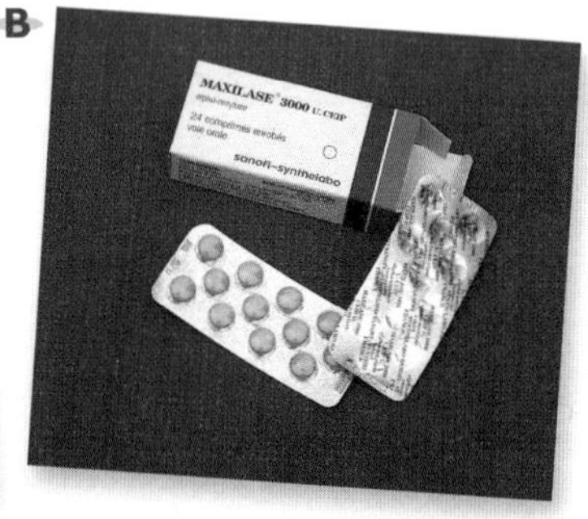

C

Solens

D
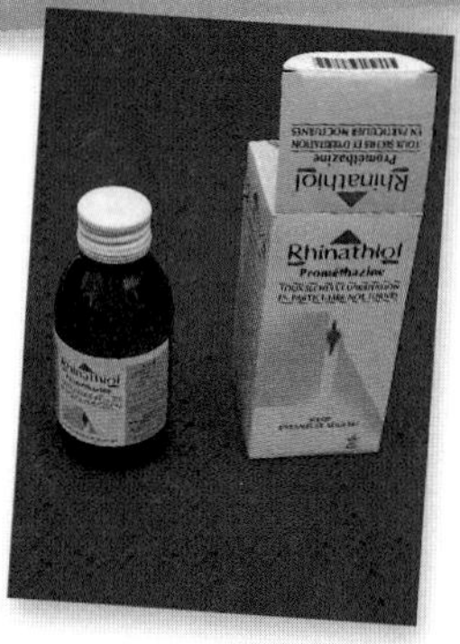
Rhinathiol

E
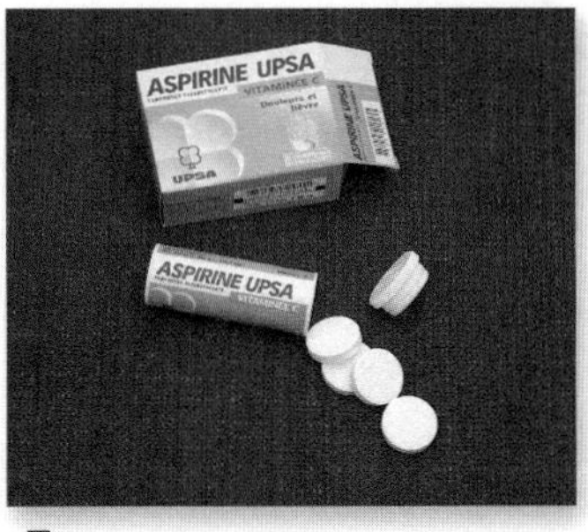
ASPIRINE UPSA
ASPIRINE UPSA

F
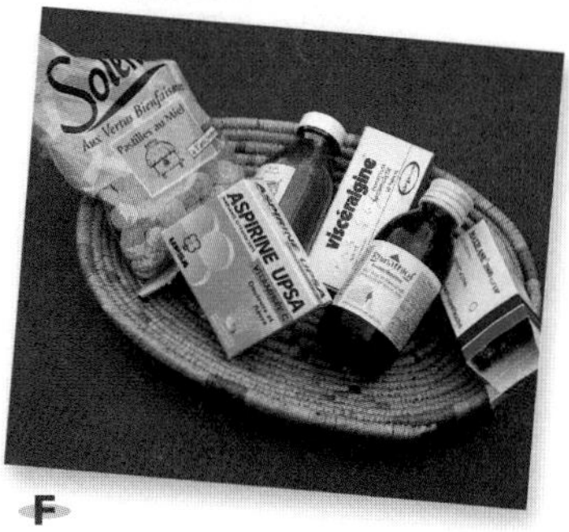
ASPIRINE UPSA
viscéralgine

2 **a** Ecoute **1–8** et réponds en anglais: What are they looking for?

b Réécoute **1–8** et réponds en anglais: Where is it?

Exemple

1 – Tu as des médicaments? *1a medicine*
– Oui, ils sont dans la salle de bains. *1b in the bathroom*

3 Imagine: un copain est malade et doit (must) rester à la maison.
Fais des suggestions à ton copain à l'aide des verbes **A–I**.

Exemple

Ecoute la radio.

A Regarde **B** Ecoute **C** Surfe **D** Dessine **E** Joue **F** Fais **G** Lis **H** Ecris à . . . **I** Téléphone à . . .

4 **a** Lis le dialogue entre David et sa mère: elle est sympa, oui ou non?

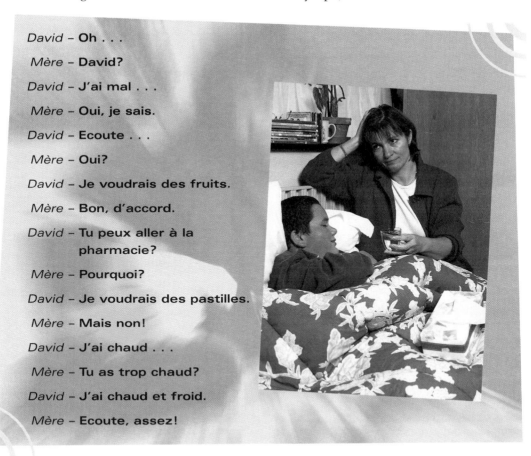

David – **Oh . . .**
Mère – **David?**
David – **J'ai mal . . .**
Mère – **Oui, je sais.**
David – **Ecoute . . .**
Mère – **Oui?**
David – **Je voudrais des fruits.**
Mère – **Bon, d'accord.**
David – **Tu peux aller à la pharmacie?**
Mère – **Pourquoi?**
David – **Je voudrais des pastilles.**
Mère – **Mais non!**
David – **J'ai chaud . . .**
Mère – **Tu as trop chaud?**
David – **J'ai chaud et froid.**
Mère – **Ecoute, assez!**

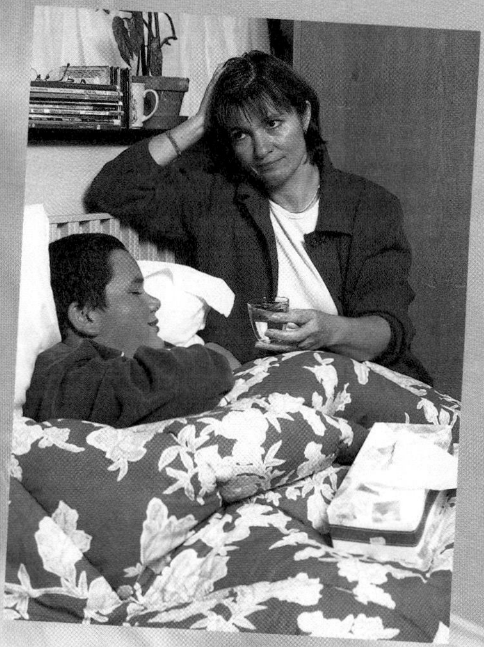

b Ecoute le dialogue sur cassette/CD et lis **1–6**.
Tu comprends bien?

message X

On the cassette/CD, each line starts the same as above . . . but says more!

c Réécoute le dialogue et lis **1–6**: vrai ou faux?

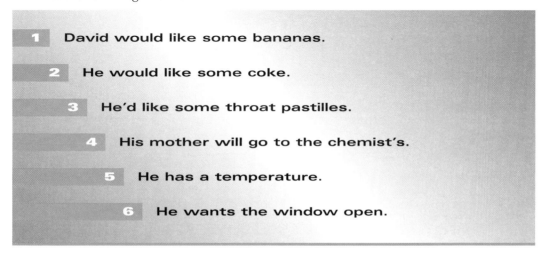

1 **David would like some bananas.**
2 **He would like some coke.**
3 **He'd like some throat pastilles.**
4 **His mother will go to the chemist's.**
5 **He has a temperature.**
6 **He wants the window open.**

d Fais la Feuille 2.

e Joue le dialogue de l'activité **4a** <u>ou</u> de la Feuille 2.

Les vacances

Making plans for half-term
The near future (recycling)

1 Cherche **1–4** dans les e-mails.

1. une date précise
2. deux autres mois
3. une ville
4. un transport

1

Salut, Frank!
C'est le 4 septembre, mais je ne peux pas aller au collège parce que je suis malade. J'ai de la fièvre et j'ai mal à la gorge.
Qu'est-ce que tu vas faire pendant les vacances en octobre-novembre? Est-ce que tu vas rester chez toi? Moi, si possible, je vais aller chez mes cousins à Toulouse pour une semaine.
David

2

Salut, David!
Tu es malade ou tu n'aimes pas aller au collège? Pendant les vacances, je vais peut-être rester chez moi mais j'aimerais mieux aller à Toulouse avec toi. Si possible, je voudrais faire du karting avec tes cousins. Si je ne peux pas aller à Toulouse, je vais travailler avec mon père.
Frank

3

Frank,
C'est d'accord! Tu peux venir à Toulouse avec moi en train le 28 octobre. Trois heures en train, ce n'est pas trop long.
David

4

David,
Merci de l'invitation, mais je ne peux pas aller à Toulouse parce que mon correspondant allemand va arriver avec sa classe. Désolé!!!
Frank

2 **a** Trouve les paires à l'aide des e-mails p12.

1	pendant les vacances	A	*if possible*
2	en octobre–novembre	B	*during the holidays*
3	si possible	C	*perhaps*
4	je vais travailler	D	*I'd rather*
5	peut-être	E	*for*
6	j'aimerais mieux	F	*in order to*
7	pour (+ nom)	G	*in October–November*
8	pour (+ infinitif)	H	*I am going to work*

b Testez-vous à deux avec *AnneXe*: français–anglais -> anglais–français.

c Ecoute les questions **1–7** et réponds: écris *David* ou *Frank*.

3 Recopie le premier e-mail, mais change des détails de ton choix.

4 **a** Ton professeur prépare ses vacances et choisit en secret:

- **un pays**
- **une région (nord, etc.)**
- **une date**
- **une durée (deux semaines, etc.)**
- **un transport (en autobus, en voiture, à pied)**

Pose des questions pour deviner ses projets:

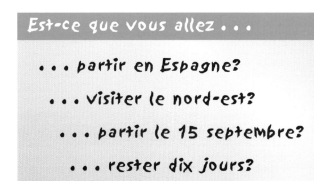

Est-ce que vous allez . . .

. . . partir en Espagne?

. . . visiter le nord-est?

. . . partir le 15 septembre?

. . . rester dix jours?

. . . partir à pied?

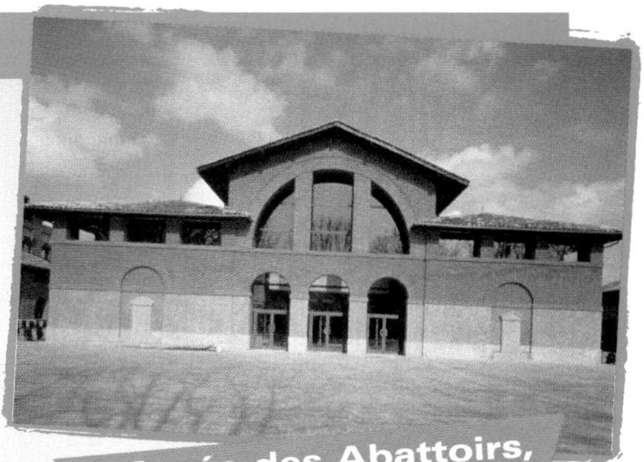

Musée des Abattoirs, Toulouse

b A vous! Jouez à deux.

Optional extras

Pronunciation practice
Coping with cognates ('look-alikes') in speaking and listening
Coping with words of time and frequency in a new context

1 Prononciation

a Entraîne-toi à l'aide de la cassette/du CD.

1. Annette a des Kleenex excellents.
2. Ludivine a fini l'aspirine à midi et demi.
3. Vincent prend souvent des médicaments.
4. André a acheté des comprimés au supermarché.
5. Ma fille Camille a pris mes pastilles à la vanille.
6. Arnaud a payé dix euros pour son sirop: c'est trop!

Docteur! Monsieur Globule est malade! C'est une allergie ou c'est du poison?

b Devine comment prononcer la bulle → écoute.

message X

The speech bubble contains some new words ... but you know about French pronunciation, so have a go!

2 Révision

Révise **1–16** en préparation à l'activité **3**.

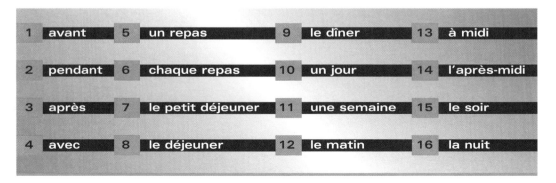

1	avant	5	un repas	9	le dîner	13	à midi
2	pendant	6	chaque repas	10	un jour	14	l'après-midi
3	après	7	le petit déjeuner	11	une semaine	15	le soir
4	avec	8	le déjeuner	12	le matin	16	la nuit

3 Combien? Quand?

a Explique les instructions **1–10** en anglais.

Exemple 1 *2 tablets before each meal.*

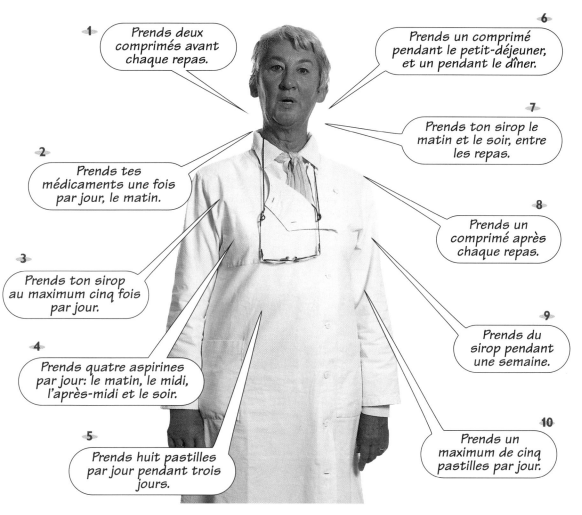

1. Prends deux comprimés avant chaque repas.
2. Prends tes médicaments une fois par jour, le matin.
3. Prends ton sirop au maximum cinq fois par jour.
4. Prends quatre aspirines par jour: le matin, le midi, l'après-midi et le soir.
5. Prends huit pastilles par jour pendant trois jours.
6. Prends un comprimé pendant le petit-déjeuner, et un pendant le dîner.
7. Prends ton sirop le matin et le soir, entre les repas.
8. Prends un comprimé après chaque repas.
9. Prends du sirop pendant une semaine.
10. Prends un maximum de cinq pastilles par jour.

b Lis la question et écris six réponses à l'aide des notes **1–6**.

Est-ce que tu prends des médicaments?

Exemple 1 *Oui, je prends cinq pastilles par jour.*

1	oui – pastilles – jour
2	oui – sirop – deux – avant
3	non – oublie
4	oui – fois – pendant
5	oui – sirop – trois fois – mauvais
6	non – pharmacie – après-midi

Optional extras

The near future (recycling)
Using *depuis*
The imperative (recycling)

4 Le futur proche

a Révise le futur proche (the near future) dans *AnneXe* p54.

b Fais la Feuille **4**.

grammaire

5 Depuis . . .

To give the idea of how long/since when, use the present tense + *depuis*:

- Je suis malade depuis trois jours.
  I have been ill for three days.
- J'apprends le français depuis deux ans.
  I have been learning French for two years.

A toi!

Invente des phrases avec *depuis* à l'aide des dessins **A–H**.

Exemple 1 *Elle habite en France depuis deux mois.*

A

• Paris
For 2 months.

B

Since morning.

C

I PLAY, YOU PLAY, HE PLAYS...
For 3 years.

D

Since Saturday.

E

For 1 hour.

F

Since midday.

G

Since 6.00.

H

For 5 years.

6 L'impératif (1)

a Révise l'impératif dans *AnneXe* p51.

b Fais dix phrases avec **1–10** et **A–J**.

1. Ferme
2. Achète-moi
3. Ecoute-moi
4. Prends ton sirop
5. Fais du cyclisme
6. Va au lit
7. Donne de l'eau
8. Viens
9. N'oublie pas
10. Aide-moi, je

A. quand je parle!
B. si tu n'aimes pas le karting.
C. si tu es malade.
D. la fenêtre, s'il te plaît.
E. ton argent pour le parc de loisirs.
F. ne trouve pas mes médicaments.
G. des Kleenex à la pharmacie.
H. et tes pastilles, d'accord?
I. aux lapins, s'il te plaît.
J. chez moi samedi matin, d'accord?

7 L'impératif (2)

Lis les bulles: regarde bien les verbes!
Est-ce que Fatima parle à un copain ou à un prof?

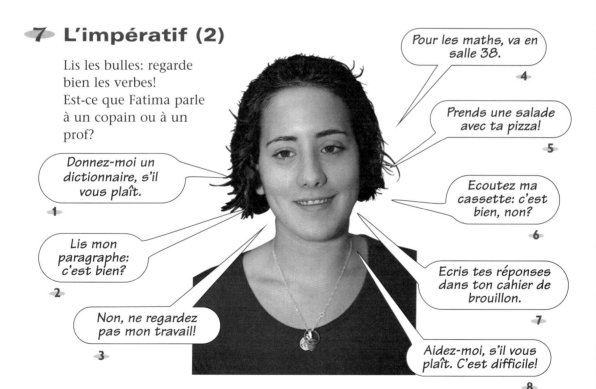

1. Donnez-moi un dictionnaire, s'il vous plaît.
2. Lis mon paragraphe: c'est bien?
3. Non, ne regardez pas mon travail!
4. Pour les maths, va en salle 38.
5. Prends une salade avec ta pizza!
6. Ecoutez ma cassette: c'est bien, non?
7. Ecris tes réponses dans ton cahier de brouillon.
8. Aidez-moi, s'il vous plaît. C'est difficile!

8 L'impératif (3)

Imite Fatima (activité 7).

a Invente 5–10 phrases à l'impératif pour un copain ou un prof.

b Echange avec un voisin et décide: copain ou prof?

More challenging activities

1 **a** Ecoute les réponses **1–6**: c'est pour quelle question (**A–F**)?

- **A** Tu ne vas pas au collège aujourd'hui?
- **B** Qu'est-ce que tu as?
- **C** Est-ce que tu prends des médicaments?
- **D** Qu'est-ce que tu fais?
- **E** Est-ce que je peux venir chez toi?
- **F** Quand est-ce que tu vas aller au collège?

b Imagine: tu es malade.
Entraîne-toi à répondre oralement à **1–6**.

message X

- Make up the information.
- Answer without notes.
- Try to speak in full sentences.

2 Ecris un e-mail en français à l'aide de ces détails:

- **Say that you are at your grandparents.**
- **Say that you have asthma.**
- **Say that you can't go to the sports centre on Saturday.**
- **Ask your friend whether (s)he can visit this afternoon.**
- **Ask him/her to write or to phone.**

message X

Use the speech bubble as a model.

Allô? C'est Dominique. Je suis chez moi et je suis malade. Je ne peux pas aller au collège cette semaine. Ah, et je ne vais pas faire la compétition de natation ce week-end. Est-ce que tu peux venir chez moi ce soir ou demain soir? Téléphone-moi. Salut!

3 **a** Lis le dialogue.

Juliette – **Où es-tu?**

Coralie – **A la maison.**

Juliette – **Mais c'est le 4 septembre!**

Coralie – **Je sais.**

Juliette – **Et le collège? Il est 8h30!**

Coralie – **J'ai mal à la tête.**

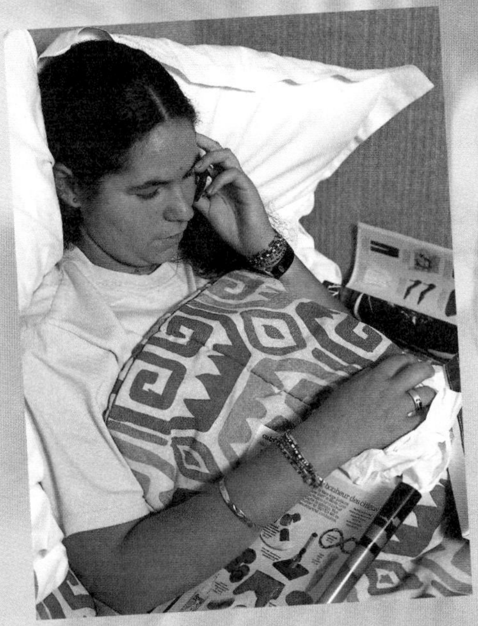

b Le dialogue sur cassette/CD est plus long et a trois détails différents. Note les trois différences en français ou en anglais.

4 Fais un exposé à l'aide de notes.

Le thème: tes projets pour les vacances d'octobre–novembre.

message X

- Facts:
  – you can provide real information or make it up;
  – you can say what, when, why, with whom . . .
- Verbs
  You can use:
  – *Je vais* + infinitive
  – *Je voudrais* + infinitive
  – *J'aimerais mieux* + infinitive.
- Preparation:
  Use p12 as well as *Annexe* for support.

Les vacances scolaires en France

Total: 16 semaines!

- neuf semaines l'été* (juillet-août et quelques jours en septembre)
- une semaine en octobre-novembre
- deux semaines à Noël
- deux semaines en février
- deux semaines à Pâques.

Les colonies de vacances

Aux Etats-Unis, il y a des «summer camps». En France, il y a des colonies de vacances. C'est très populaire et idéal pour les jeunes* . . . et pour les parents. Pourquoi? Parce que les vacances d'été* sont longues. Et ce n'est pas cher!

Tu as 8 ans? 12 ans? 15 ans? Tu peux aller en colonie! On trouve des colonies dans les régions calmes, dans la nature. Les lits sont dans des dortoirs ou dans des grandes tentes de camping.

En général, une colonie est pour deux, trois ou quatre semaines. On peut faire des activités sportives, manuelles et musicales, des pique-niques et des visites dans la région.

Glossaire

l'été = (in) the summer
les jeunes = young people

Chanson de colonie de vacances

Un kilomètre à pied

Un kilomètre à pied, ça use, ça use,
Un kilomètre à pied, ça use* les souliers.
Deux kilomètres à pied, ça use, ça use,
Deux kilomètres à pied, ça use les souliers*.
Trois . . .

La Fête de la Musique

La Fête de la Musique est très populaire en France.

- Son origine? 1982.
- Sa date? En juin.
- Où? Dans toute* la France.
- Dans les salles de concert? Oui, et aussi . . . dans la rue!
- Pour qui? Pour le public, les musiciens amateurs et les musiciens professionnels.
- Quelle musique? Tous* les styles, pour tous les âges!
- C'est cher? C'est gratuit!
- Son succès? Plus de 100 pays ont adopté la Fête de la Musique.

20ème Fête de la Musique 2001
Fête de la
MUSIQUE
21 juin

Sur internet, tu peux faire une recherche «Fête de la Musique» pour trouver des détails, des photos et des posters.

Glossaire

user = to wear out
souliers = shoes
tous, toute = all

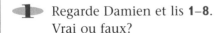

Vêtements sur catalogue

Describing clothes
Adapting a text
Sharing opinions about clothes (Feuille 3)

1 Regarde Damien et lis **1–8**.
Vrai ou faux?

1 Il a un pantalon mais il n'a pas de chemisier.

2 Il a un blouson mais il n'a pas de jupe.

3 Il a un jean mais il n'a pas de blouson.

4 Il a un pull mais il n'a pas de sweat.

5 Il a une chemise mais il n'a pas de jean.

6 Il a un pantalon mais il n'a pas de robe.

7 Il a un chemisier mais il n'a pas de blouson.

8 Il a une robe mais il n'a pas de chemisier.

2 Ecoute les questions **1–12** et écris «oui» ou «non».
Note: porter = to wear.

Exemple
1 Est-ce que tu portes un jean aujourd'hui?

3 **a** Invente une liste de vêtements.

Exemple Trois jeans
. . .

b Devine la liste de ton/ta partenaire:

Est-ce que tu as deux jeans?

Non, plus.

Est-ce que tu as huit jeans?

Non, moins.

4 Ah, les catalogues de vêtements!
Dans le dialogue, il y a:

Glossaire
combien = how many

1 **combien de numéros de pages?**

2 **combien d'adjectifs de couleur?**

3 **combien d'opinions en commun?**

Lou – **Tu aimes le pull bleu page 53?**

Elsa – **Non, je préfère le pull jaune page 54.**

Lou – **Et la jupe verte page 66! Elle est géniale!**

Elsa – **Bof, je préfère la jupe noire.**

Lou – **Mais tu as trois jupes noires!**

Elsa – **Oui, c'est vrai . . .**

. . .

Lou – **Regarde le chemisier rouge!**

Elsa – **Le chemisier? A quelle page?**

Lou – **Page 70. Il est joli, non?**

Elsa – **Bof, il n'est pas moderne.**

. . .

Lou – **Est-ce que tu as des sweats?**

Elsa – **Oui, j'ai un sweat bleu.**

Lou – **Tu aimes le sweat vert page 75?**

Elsa – **Moi, non, pas beaucoup.**

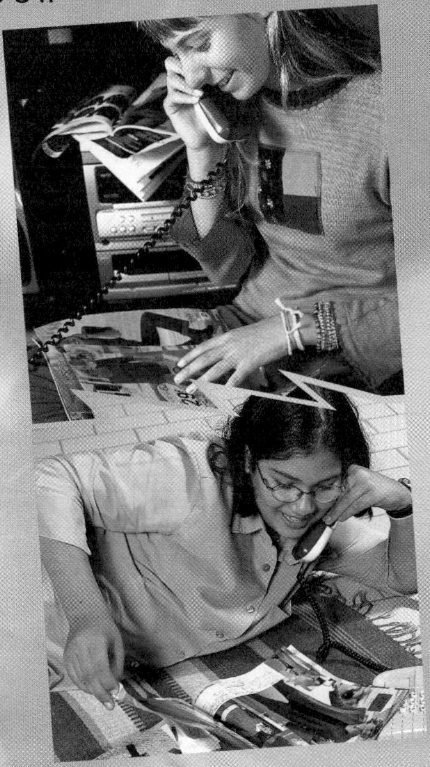

5 **a** Regarde le dialogue de l'activité **4** et écoute la cassette/le CD.

Il y a des différences? Lève le doigt!

b Trouve et finis les phrases de ton professeur (dialogue de l'activité **4**).
Exemple

Regarde . . .

. . . le chemisier rouge!

c Fais la Feuille 3.

GOLD

2

C'est ton style?

Sharing opinions about clothes | **Listening for detail**
Coping with longer dialogue | **Adapting a written model**

1 Révision: recopie les adjectifs acceptables pour décrire des vêtements.

travailleur **joli** **génial** **fatigant** **moderne** **nul** **bruyant** **amusant** **super** **fatigué** **sympathique** **cher** **ennuyeux** **original** **bon** **superbe** **possible** **malade**

2 Regarde et écoute le dialogue.
Qui préfère le magasin? Elsa ou Lou?

Dans un magasin de vêtements

Elsa – **Regarde les blousons.**

Lou – **Les blousons? Où?**

Elsa – **Ils sont jolis, non?**

Lou – **Bof, ce n'est pas mon style.**

Elsa – **Tu n'aimes pas le gris?**

Lou – **Non, je préfère le noir.**

. ■ .

Elsa – **Et la veste? Tu aimes la veste?**

Lou – **Bof, je préfère les vestes rouges.**

Elsa – **Oh, les jeans! Ils sont cools!**

Lou – **Mais non, ils sont horribles!**

Elsa – **Tu aimes le pantalon bleu? Génial!**

Lou – **Non, je préfère le pantalon blanc.**

Elsa – **Le blanc, ce n'est pas idéal . . .**

Lou – **Pour toi, non! Regarde ton chemisier.**

Elsa – **Oh, zut! C'est du chocolat!**

3 **a** Lis **1–6** et vérifie dans le dialogue p24: vrai ou faux?

1 Lou n'aime pas les blousons.
2 Lou n'aime pas les blousons parce qu'ils sont gris.
3 Elsa préfère les blousons noirs.
4 Lou n'aime pas les vestes rouges.
5 Elsa et Lou préfèrent le pantalon blanc.
6 Elsa a un problème avec son chemisier.

b Ecoute ton professeur et montre la ligne exacte dans le dialogue.

c Jouez le dialogue à deux.

4 A deux, jouez les rôles **A–B** oralement.

A	B
A – Trousers: does B like them?	**B** – You prefer jeans.
A – Cool-looking jackets!	**B** – You think they are horrible!
A – Great white jumper! Does B like it?	**B** – You prefer the brown one.
A – Brown isn't trendy.	**B** – Say that you are not trendy!!

5 Ecoute **1–7** et trouve les deux adjectifs (**A–H**).

Exemple

1 Le pull rouge est génial mais il est cher. → *1 DB*

A	chaud	C	cool	E	horrible	G	malade
B	cher	D	génial	F	joli	H	moderne

6 Fais le dialogue de l'activité **4** par écrit.

eXtra

Fais la Feuille **4**.

C'est trop court

Shopping for clothes
Using context as an aid to understanding in reading

1 On joue! Choisis un pull (**A–F**) → écoute ton professeur.
Tu as bien choisi? Un point!

Exemple

Professeur: *Je voudrais le pull en taille . . .*

A **taille 34**

B **taille 36**

C **taille 38**

D **taille 40**

E **taille 42**

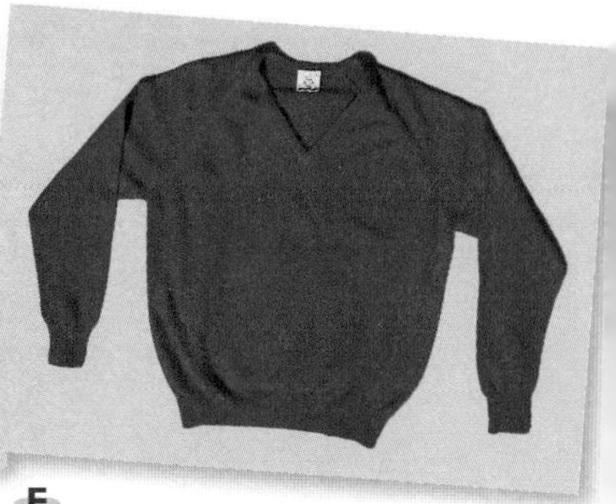

F **taille 44**

2 **a** Travaillez en groupe avec la Feuille 5:

Est-ce que vous avez la jupe en taille 44?

Numéro 4!

b En secret, ton professeur choisit cinq vêtements de la Feuille 5.
Pose des questions à ton professeur.
Objectif: trouver les cinq vêtements.

Exemple

Est-ce que vous avez le pull en bleu?

3 **a** Trouve les paires à l'aide du dialogue.

1	les cabines	a	*it's too short*
2	par ici	b	*it's alright/it fits*
3	c'est trop long	c	*the cash desk*
4	c'est trop court	d	*it's too expensive*
5	ça va	e	*this way*
6	la caisse	f	*the fitting rooms*
7	c'est trop cher	g	*it's too long*

A *Paul* – **Monsieur, s'il vous plaît . . .**

Vendeur – **Oui?**

Paul – **Est-ce que vous avez le pull en bleu?**

Vendeur – **Oui, voilà.**

Paul – **Merci. Où sont les cabines, s'il vous plaît?**

Vendeur – **Par ici, regardez.**

. ▪ .

B *Vendeur* – **C'est trop long?**

Paul – **Oui. Est-ce que vous avez le pull en taille 40?**

Vendeur – **Euh . . . oui, voilà.**

. ▪ .

C *Paul* – **C'est trop court?**

Vendeur – **Non, non, ça va!**

Paul – **D'accord! Où est la caisse?**

Vendeur – **Venez avec moi.**

. ▪ .

D *Vendeur* – **Ça fait 65€, s'il vous plaît.**

Paul – **65€? Oh, zut! Désolé, c'est trop cher.**

b Ecoute les extraits de dialogue (**1–8**) et écris A, **B**, C ou **D**.

c Regarde et écoute le dialogue. Il y a des différences?

d Fais la Feuille **6**.

Optional extras

Pronunciation: liaisons
Explaining the same thing in several different ways

1 Prononciation

Ecoute et répète: fais bien les liaisons.

1 Je voudrais la robe en noir.
2 Vous avez la chemise en bleu?
3 Je cherche la jupe en taille 44.
4 Vous avez la veste en taille 38?
5 Je voudrais le pull en marron.
6 Vous avez le jean en plus petit?
7 Je cherche le sweat en plus grand.
8 Vous avez le tee-shirt en taille 40?

message X

The better you cope with liaisons, the better you'll speak and . . . the better you'll understand what you hear.

2 Recyclage et variété (1)

a Trouve quatre phrases acceptables pour les scénarios **A–D** p29.

message X

This recycles useful language and shows that there can be several ways of saying the same thing.

b Pour chaque scénario (**1–3**), écris trois phrases . . . ou plus!

1 **Looking for the cash desk**

2 **Too long!**

3 **Not keen on style**

message X

Don't make this too easy! Why not have another read of p29 first, then work without support?

Scénario A

Wants to try something on . . .

1. Je n'aime pas les cabines.
2. Où sont les cabines?
3. Je cherche les cabines.
4. Je voudrais les cabines.
5. Je voudrais acheter les cabines.
6. Je ne trouve pas les cabines.

Scénario B

Too short . . .

1. Je cherche une taille plus petite.
2. C'est trop court.
3. Ce n'est pas trop court.
4. Ce n'est pas assez long.
5. Je voudrais une taille plus grande.
6. C'est trop petit pour moi.

Scénario C

Not keen on the colour . . .

1. Je n'aime pas beaucoup la couleur.
2. Vous avez d'autres couleurs?
3. Je cherche une couleur différente.
4. C'est une couleur assez cool, non?
5. La couleur, ce n'est pas mon style.
6. Ça, c'est une couleur géniale!

Scénario D

Can't afford it . . .

1. Je n'ai pas assez d'argent.
2. J'ai seulement 20€.
3. C'est trop cher pour moi.
4. Je cherche un pull moins cher.
5. J'ai beaucoup d'argent aujourd'hui.
6. Où est la caisse? Je voudrais payer.

Optional extras

Pronunciation: *-t-* and *-p-*
Dictionaries: selecting the correct translation
Ce . . . , cette . . . , ces . . .

3 Prononciation: *-t-* et *-p-*

1 un pantalon – un poster – du pain – du poulet – le ping-pong – une poubelle

2 ma taille – un tee-shirt – le tennis – du thé – la télé – les toilettes

3 Thérèse, ton sweat est en taille trente-huit ou en taille quarante?

4 Pierre ne peut pas courir parce que son pantalon est un peu trop petit.

grammaire

4 Ce . . . Cette . . . Ces . . .

You want to talk about 'this' jumper or 'these' jackets? Use . . .

- *ce* + masculine noun: J'aime ce pull (I like this jumper)
- *cette* + feminine noun: J'aime cette veste (I like this jacket)
- *ces* + plural noun: J'aime ces chemises (I like these shirts)

A toi!

Entraîne-toi à compléter ces phrases oralement avec «ce», «cette» ou «ces».

1 **Tu préfères ______ jupe ou ______ robe?**
2 **Il va acheter ______ jean ou ______ pantalon?**
3 **Pourquoi est-ce que tu n'aimes pas ______ chemise?**
4 **Regarde ______ pulls devant la caisse!**
5 **J'aime ______ chemisier, mais il est trop cher.**
6 **______ vêtements ne sont pas très modernes.**
7 **Vous allez acheter ______ veste avec la jupe?**
8 **Est-ce que vous avez ______ pantalon en taille 40?**
9 **Je trouve ______ blouson plus joli en noir.**
10 **Je cherche ______ veste, mais en marron.**

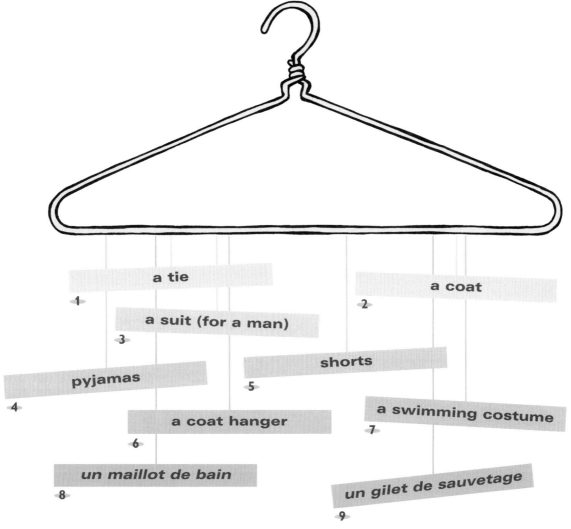

5 Dictionnaires

a Traduis **1–9** à l'aide d'un dictionnaire.

1 **a tie**

2 **a coat**

3 **a suit (for a man)**

4 **pyjamas**

5 **shorts**

6 **a coat hanger**

7 **a swimming costume**

8 ***un maillot de bain***

9 ***un gilet de sauvetage***

message X

- 1–3 have several translations. Why? How can you choose?
- 4–5 are plural nouns in English. What about in French?
- 6–9 are translated under which entries?
- Bigger dictionaries …
  - have more entries;
  - give a greater choice of translations to suit more contexts;
  - give information in brackets to help you select the right translation;
  - use shortcuts such as the symbol ~ to save space;
  - use more abbreviations, for example for gender (*ms, fs, mpl, fpl*);
  - often translate more than one word under one entry:
    - words which belong to the same family
    - phrases which all contain the entry word.

More challenging activities

1 Travaillez sur les questions **1–4** à deux, oralement.

1. Où est-ce que tu achètes tes vêtements?
2. Est-ce que tu achètes tes vêtements seul(e)?
3. Quelles couleurs est-ce que tu préfères pour les vêtements?
4. La mode, c'est important pour toi?

message X

- Practise saying the questions clearly.
- Practise answering without looking at them and without notes.
- Avoid very short answers: give one or two details or examples.
- Preparation: listen to Elsa and Paul.

2 Elsa et Paul sont dans un magasin de vêtements.
Ecoute le dialogue et complète **1–8**.

1. Elsa has spotted a jacket near the ______.
2. Paul doesn't like its ______.
3. It is also available in ______.
4. Paul isn't too keen on the ______.
5. Paul takes size ______ or ______.
6. Elsa is now looking at ______.
7. Paul thinks they are too ______.
8. Elsa thinks the colours are ______.

3 Ecris un dialogue d'au moins 15 lignes.

Scénario:

Un client très difficile dans un magasin de vêtements.

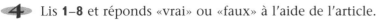

4 Lis **1–8** et réponds «vrai» ou «faux» à l'aide de l'article.

1. A famous sportsman helped boost Nike sales.
2. The World Cup made French shops run out of Adidas shoes.
3. Nike is getting more and more popular in France.
4. Nike is facing tough competition.
5. Nike gives away trainers to children in South-East Asia.
6. Fashion sometimes changes too slowly.
7. Brand names are getting less popular among French teenagers.
8. It is easy to see which direction fashion is going to take in the next few years.

Les marques* en France

Les marques* sont populaires en France? Oui . . . et non. Voici des exemples.

- **1990–2000:** Nike et Adidas, par exemple, sont très populaires. En 1992, le joueur de basket américain Michael Jordan fait des publicités géniales pour Nike.

Zinedine Zidane

- **1998 . . . :** En France, l'image du footballeur Zinedine Zidane est géniale pour son sponsor, Adidas. La France gagne le Mondial* et Adidas est très populaire. En juillet–août 1998, il est difficile de trouver des chaussures Adidas dans les magasins parce qu'il n'y a pas assez de stock!
- **2000, 2001 . . . :** les marques* sont moins populaires. Nike, par exemple, progresse moins vite. Pourquoi?
  - le succès de marques* différentes;
  - des réactions à Nike qui emploie des enfants* en Asie du Sud-Est;
  - la mode* qui change souvent.
- Aujourd'hui, en France, le problème existe pour beaucoup de marques*. Les adolescents aiment moins les marques* et les vêtements de sport. Et la mode* de demain? Regardez dans une boule de cristal!

Glossaire

une marque = a brand name
le Mondial = the football World Cup
un enfant = a child
la mode = fashion

C'est vrai!

- En France, les 11–15 ans achètent 580€ de vêtements par an*.
- Les Français achètent 130 millions de slips* par an.
- En France, le look est plus important pour les garçons.
- Pour inventer un parfum, on a le choix: entre 4 000 et 5 000 ingrédients naturels ou synthétiques!

La révolution dans les vêtements!

La science s'intéresse aux vêtements! Il existe . . .

. . . des fibres qui respirent* (pour le sport)

. . . des fibres isolantes pour le froid (le ski, par exemple)

. . . des fibres antibactériennes (pour les hôpitaux)

. . . des fibres caméléon, qui changent de couleur.

L'ARGENT

Priorités des 11–15 ans:

1. les vêtements
2. la musique
3. sortir (cinéma, etc

Dans la piscine

Aux Jeux olympiques de Sydney, les Australiens ont porté un vêtement avec une fibre spéciale, qui s'appelle de la «peau de requin*». Son avantage: on va 3% plus vite. C'est idéal pour les compétitions!

Ian Thorpe

Glossaire

par an = per year
des slips = knickers, underpants
respirer = to breathe
la peau de requin = shark's skin

Les baskets*: danger!

Les baskets sont confortables, mais elles sont dangereuses. Pourquoi? Parce que le pied* est paresseux et fragile quand tu portes tes baskets trop souvent. Le résultat: tu as des difficultés quand tu veux porter des chaussures* normales.

Kappa

LE MARKETING DE RUE

Qu'est-ce que c'est? Des experts trouvent des leaders de rue qui ont beaucoup de copains. Ils donnent des vêtements ou des baskets* à un leader parce que c'est une excellente forme de publicité: ses copains décident de copier son look. Adidas, par exemple, fait du marketing de rue en France.

Internet

On aime quels vêtements en France en ce moment?
Fais des recherches sur internet, par exemple regarde la section shopping de Yahoo France (http://fr.yahoo.com) ou fais une recherche «La Redoute» ou «Les 3 Suisses» (catalogues populaires en France).

Glossaire

des baskets = trainers
un pied = a foot
des chaussures = shoes

Une visite en Normandie

Giving and understanding facts about a region
Using context in reading (Feuille 1)
Giving opinions and reasons

1 a Lis **1–7** et devine: vrai ou faux?
Aide-toi d'*Annexe* p6.

1	La Normandie est une région loin de la mer.
2	Elle est très touristique.
3	Elle est célèbre pour le champagne.
4	Elle a de très, très petites montagnes.
5	Elle n'est pas très historique.
6	Caen est une ville ancienne.
7	Rouen est une ville historique.

b Vérifie dans l'article p37.

2 Regarde et écoute **1–10**. Réponds à l'aide d'*AnneXe* p6.

Exemple

Tu préfères la mer ou la montagne? — *La mer.*

1	**Tu préfères la mer ou la montagne?**
2	**Tu préfères la campagne ou la mer?**
3	**Tu préfères la montagne ou la campagne?**
4	**Tu préfères la natation ou les promenades?**
5	**Tu préfères les promenades ou les musées?**
6	**Tu préfères pêcher sur la côte ou en mer?**
7	**Tu préfères les sites historiques ou les sites modernes?**
8	**Tu préfères les villes célèbres ou les villes calmes?**
9	**La Normandie est une ville ou une région?**
10	**La Normandie est calme ou touristique?**

b Utilisez **1–10** dans le désordre pour une chaîne orale:

question → **réponse** → **question . . .**

La Normandie

La Normandie est une région très touristique dans le nord-ouest de la France.

- **La mer** Vous aimez pêcher? Vous aimez les plages, la voile ou la natation? La Normandie est idéale! La côte a des villes très jolies et très touristiques en juillet et en août.
- **La campagne** Vous aimez les promenades dans la nature? En Normandie, la campagne est très verte. Vous aimez manger et boire? C'est une région célèbre pour le fromage et pour le cidre.
- **Les montagnes** L'altitude est seulement de 417m! Mais . . . il y a d'excellents sites pour les promenades.
- **L'histoire** Vous aimez les musées et les sites historiques? Il y a beaucoup de choix en Normandie. Par exemple, la Normandie est célèbre pour la tapisserie de Bayeux et pour l'arrivée des Américains en juin 44.
- **Les grandes villes** Caen est une ville moderne qui n'est pas loin de la mer. La deuxième ville, Rouen, est plus ancienne et célèbre pour sa cathédrale.

3

a Cache l'article et écoute les extraits. A chaque pause, regarde l'article et trouve la pause.

b Fais la Feuille **1**.

c De mémoire, donne des détails sur la Normandie. Si possible, parle par phrases complètes.

d Est-ce que tu aimerais visiter la Normandie? Pourquoi? Ecris deux ou trois phrases.

Quel temps fait-il?

Discussing what the weather is like
Making notes in listening

1 **a** Ecoute **1–8** et choisis les bons dessins (**A–H**).
Exemple
1 Il fait beau, mais il fait du vent. → *1 E*

A
B
C
D
E
F
G
H

b Entraînez-vous à deux.

2 **a** Entraîne-toi à dire le poème à l'aide de la cassette/du CD.

b Apprends au moins quatre lignes du poème par cœur, oralement et par écrit.

Le temps en Normandie

En janvier, il neige
En février, il gèle
En mars, il y a du brouillard
En avril, il pleut.
En mai, il fait beau
En juin, il fait du soleil
En juillet, il fait chaud
En août, il fait très chaud.
En septembre, il pleut
En octobre, il fait mauvais
En novembre, il fait du vent
En décembre, zut! Il fait froid!

3 **a** Recopie les villes (sections **A**–**B**) → écoute l'information **Radio-Temps**. C'est vrai? Ecris ✓ ou ✗

b Ecris un script pour la section **C** avec des détails vrais ou faux. Objectif: tester d'autres membres de la classe avec ton script.

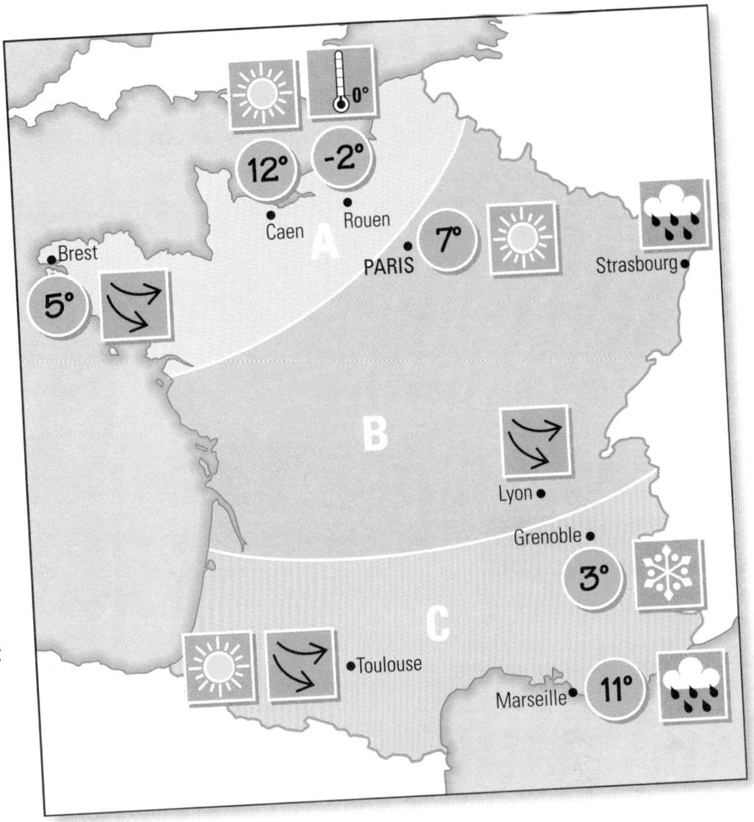

0°
12°
-2°
Caen
Rouen
A
7°
PARIS
Strasbourg
Brest
5°
B
Lyon
Grenoble
3°
C
Toulouse
Marseille
11°

4 Thomas est en vacances en Normandie. Sa mère téléphone

a Ecoute la cassette/le CD et prends des notes <u>en anglais</u>:
– weather in Normandy
– weather at home.

b Complète tes notes à l'aide du dialogue:

- **Thomas, ça va? Tu aimes la Normandie?**
- **Oh, il fait mauvais!**
- **Il fait mauvais?**
- **Oui, depuis trois jours!**
- **Il fait froid?**
- **Non, mais . . . il y a du brouillard le matin.**
- **Du brouillard?**
- **Oui, et l'après-midi, il pleut.**
- **Beaucoup?**
- **Oui, il pleut beaucoup! Et . . . à la maison? Quel temps fait-il?**
- **Il fait froid.**
- **Ah oui?**
- **Il fait *très* froid!**
- **Il neige?**
- **Non, il ne neige pas, mais il fait très froid!**

5 En groupe, écrivez un poème sur le temps.

Thomas préfère quelle région?

Giving and understanding facts about a region
Making comparisons
Semi-improvised speaking using a model

1 Lis et écoute l'e-mail de Thomas. Trouve un paragraphe (ou plus!) sur . . .

- A . . . le temps
- B . . . les transports
- C . . . des loisirs actifs
- D . . . la famille de Baptiste
- E . . . une ville très touristique

message X

Prove that you can make sense of this text in spite of unfamiliar words!

Salut, grand-père!

Pour mes vacances d'octobre, je passe une semaine chez mon copain Baptiste en Normandie. Il a fait mauvais pendant trois jours, mais maintenant il fait plus chaud et il fait du soleil.

La Normandie est plus agréable que ma région. C'est une région moins industrielle que le nord, et plus variée pour les activités sportives et pour les jeunes.

Les villes touristiques sont moins grandes que Caen. Par exemple, nous avons visité Honfleur, une ville très populaire sur la côte.

Baptiste habite à Clécy. J'aime bien Clécy parce que c'est une ville aussi petite que ma ville. Je peux faire des promenades en vélo à Clécy et dans la campagne parce qu'il n'y a pas beaucoup de voitures.

En juillet-août, beaucoup de touristes font du camping à Clécy parce qu'ils aiment la nature et parce qu'il y a une rivière. La mère de Baptiste voudrait ouvrir un camping derrière sa maison.

2 Vrai ou faux? Réponds à l'aide de l'e-mail p40 et d'*AnneXe* p7.

1. **Honfleur est une ville plus petite que Caen.**
2. **La région de Thomas est moins jolie que la Normandie.**
3. **La Normandie est une région aussi industrielle que le nord.**
4. **La ville de Baptiste est aussi petite que la ville de Thomas.**
5. **En Normandie, juillet est plus touristique que décembre.**

3 Prononciation: entraîne-toi avec la cassette/le CD.

1. **La nature est agréable.**
2. **La rivière est populaire.**
3. **J'ai passé une semaine à Clécy.**
4. **J'ai fait une promenade en vélo.**
5. **J'aime les activités pour les jeunes.**
6. **Les activités sportives sont variées.**
7. **Ma ville est plus grande que Caen.**
8. **Ma ville est moins touristique que Clécy.**
9. **Ma région est aussi jolie que la Normandie.**

4 **a** La grand-mère de Thomas n'a pas vu l'e-mail.
Ecoute ses questions (**1–10**) et réponds «oui» ou «non».

b Fais la Feuille **4**.

5 Scénario: un copain téléphone à Thomas.
Entraîne-toi à jouer les deux rôles:
- lis les questions avec un bon accent;
- réponds à l'aide des notes après les questions.

Préparation: écoute le modèle sur cassette/CD.

Tu passes la semaine chez toi? (*Baptiste*)
Il habite où? (*Clécy – petite ville – Normandie*)
Il fait beau? (*chaud – soleil*)
C'est joli, la Normandie? (un ou deux détails)
Il y a beaucoup de loisirs? (un ou deux détails)
Et Clécy? Tu aimes Clécy? (un ou deux détails)

Optional extras

Making comparisons
The agreement of adjectives (recycling)

grammaire

1 On compare (1)

- Before this Unit, you already knew *plus*, *moins* and *aussi*:

Le pull rouge est **plus** cher?	Is the red jumper **more** expensive?
Non, il est **moins** cher.	No, it's **less** expensive.
Tu veux une crêpe? Moi **aussi**.	You want a pancake? Me **too**.
Je veux **aussi** un milk-shake.	I **also** want a milk shake.

- In his e-mail p40, Thomas uses *plus*, *moins* and *aussi* differently:

plus . . . que . . .	more . . . than
moins . . . que . . .	less . . . than . . .
aussi . . . que . . .	as . . . as . . .

For a full explanation, see *AnneXe* p42.

2 On compare (2)

Vrai ou faux? Réponds à l'aide des dessins.

Les pays touristiques (an 2000)

1. Les Etats-Unis sont plus populaires que la Chine.
2. L'Espagne est moins populaire que l'Italie.
3. La France est aussi populaire que l'Espagne.
4. L'Italie est moins populaire que la France.
5. La Chine est aussi populaire que l'Italie.
6. L'Espagne est plus populaire que les Etats-Unis.

1

2

3

4

5

3 On compare (3)

Lis les phrases et classe les préférences des Français de 1 à 4:

la campagne **la mer** **la montagne** **les villes**

La campagne est plus populaire que les villes.
Les villes sont moins populaires que la montagne.
La montagne est plus populaire que la campagne.
La mer est plus populaire que la campagne.
La montagne est moins populaire que la mer.

4 On compare (4)

a Lis **1–8** et devine: vrai ou faux?

1. L'Angleterre est plus petite que les Etats-Unis.
2. Les Etats-Unis sont plus grands que l'Espagne.
3. Bath est aussi moderne que New York.
4. L'Antarctique est moins froid que l'Ecosse.
5. Leeds est plus industrielle que Stratford-upon-Avon.
6. Paris est moins touristique que la Normandie.
7. L'Espagne est aussi chaude que le pays de Galles.
8. Les activités sportives sont moins fatigantes que la télévision.

b Vérifie avec la cassette/le CD.

5 On compare (5)

a Invente des phrases comparatives avec **1–8**. Attention aux adjectifs.

1. Leeds est une ville . . . (grand)
2. Ma copine est . . . (travailleur)
3. Mes copains sont . . . (sportif)
4. Le tennis est . . . (fatigant)
5. Ma ville est . . . (touristique)
6. Ma rue est . . . (propre)
7. Les villages sont . . . (bruyant)
8. Ma chambre est . . . (confortable)

Ma rue est plus propre que ma chambre . . .

b Fais la Feuille 5.

Optional extras

Selecting the correct translation in a dictionary (English–French)
Decoding unfamiliar words through context and word families
Applying the rules of pronunciation to unfamiliar words (eXpress)
Revision of the present tense

6 Dictionnaire (anglais–français)

message X

- Some words are both noun and verb in English, but rarely in French:
  to tape = enregistrer to kiss = embrasser
  a tape = une cassette a kiss = un baiser
- To select the right translation when looking up a word, look at:
  – the abbreviations for parts of speech (*n* = noun, etc.)
  – the explanations sometimes given in brackets
  – the examples sometimes given for different meanings of a word

Traduis **1–8** à l'aide du contexte et d'un dictionnaire.

1	a visit	J'ai aimé ma [redacted] au musée.
2	to visit	Elle va [redacted] sa grand-mère.
3	to walk	Tu veux courir? Je préfère [redacted] !
4	to walk	Je vais [redacted] le chien cet après-midi.
5	to spend	J'adore [redacted] de l'argent!
6	a spring	Mon lit n'est pas confortable: regarde le [redacted] .
7	hot (food)	Oh, ce curry est très [redacted] !
8	a cold	Vite, un kleenex! J'ai un [redacted] .

Mon lit n'est pas confortable, mais j'aime ça!

7 Sans dictionnaire!

a Lis **1–8** et traduis les adjectifs **en caractères gras**:

rainy **coastal** **feverish** **mountainous**
regional **sickly** **snowy** **sunny**

b Pour chaque adjectif, tu connais quel mot de la même (same) famille?

1 La Normandie est une région assez **pluvieuse**.
2 Les régions **montagneuses** sont dangereuses quand il neige.
3 Les villes **côtières** sont souvent très touristiques.
4 Le pâté de canard* est une spécialité **régionale**. (*duck)
5 Quel temps **ensoleillé**! On va à la plage?
6 J'adore les montagnes **enneigées**. Tout blanc, c'est très joli.
7 Mon chien est très **maladif**: il va souvent chez le vétérinaire.
8 Tu es très **fiévreux**. A mon avis, tu es malade.

grammaire

8 Le présent – Révision

Révise les verbes au présent à l'aide d'*AnneXe*:
– les verbes réguliers en *-er*;
– les verbes irréguliers: avoir – être – faire – sortir – pouvoir – devoir – vouloir – partir – prendre – venir – finir.

A toi!

a Fais la Feuille **6A**.

b En groupe, imitez l'exemple de la photo ou jouez avec la Feuille **6B**.

Je voudrais . . . le verbe 'avoir' avec 'nous'. Et . . . ça s'écrit comment?

More challenging activities

1 Fais correspondre **1–9** avec les régions **A**, **B** et **C**.

1. Great for tourism all year round.
2. Not much apart from the seaside.
3. Suitable for traditional interests.
4. Child-friendly places to visit.
5. Unappealing countryside.
6. Good region for walks.
7. Attracts many foreigners.
8. Nothing remotely sporty to do.
9. Expect poor accommodation.

A

Ma région est touristique, mais les loisirs pour les touristes ne sont pas très variés parce que les activités intéressantes sont seulement sur la côte. A la campagne, la nature n'est pas géniale et ce n'est pas une région idéale pour les promenades. Sur la côte, les hôtels ne sont pas chers mais on trouve rarement le confort.

B

Ma région est idéale pour le tourisme parce qu'il y a beaucoup d'activités de montagne, de janvier à décembre! De novembre à avril, on peut faire du ski et d'autres sports de neige, et de mai à octobre, on peut faire des promenades dans les montagnes. On trouve beaucoup de touristes français, mais on trouve aussi beaucoup d'Allemands, de Suisses et d'Italiens.

C

Ma région n'est pas idéale pour le tourisme parce que c'est d'abord une région industrielle, mais il y a des touristes qui trouvent les anciennes traditions de ma région assez intéressantes. Les musées industriels sont assez populaires, pas seulement avec les adultes mais aussi avec les enfants, parce qu'il y a des jeux et parce qu'on peut toucher.

2 Ecris au moins 30–60 mots pour décrire ta région idéale pour le tourisme.

Dans ma région idéale, . . .

3 On interviewe des personnes en vacances en Normandie (**1–6**).
La question:

«Pour vous, la Normandie, qu'est-ce que c'est?»

a Pour chaque interview, choisis les deux thèmes (**A–F**).

- **A** le tourisme en général
- **B** la campagne
- **C** l'histoire
- **D** le sport
- **E** bien manger
- **F** la mer

ISIGNY Ste MÈRE
Camembert de Normandie
Appellation d'Origine

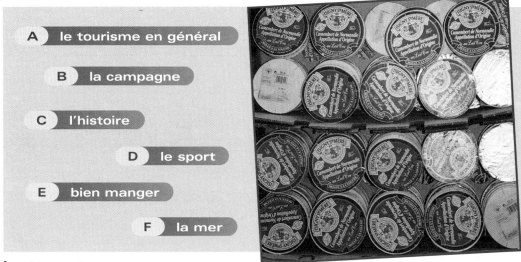

b Réécoute les interviews.
Pour chaque interview, note au moins un détail supplémentaire en anglais.

4 Prépare-toi à faire un exposé oral.

Le thème: «Le tourisme en juillet-août dans ma région»

Suggestions:
- le temps
- les activités touristiques
- où tu voudrais passer tes vacances
- où tu passes tes vacances

message X

Expressions utiles

Pour les touristes, il y a . . .	For tourists, there is/there are . . .
Les touristes peuvent . . .	Tourists can . . .
Dans ma région, on peut . . .	In my region, one can . . .
Dans ma région, on ne peut pas . . .	In my region, one can't . . .
Dans ma région, j'aimerais avoir . . .	In my region, I'd like to have . . .
Moi, je passe mes vacances . . .	I spend my holidays . . .
Pour mes vacances, je vais . . .	For my holidays, I go . . .
J'aimerais mieux . . .	I'd rather . . .
J'aimerais mieux aller . . .	I'd rather go . . .

Quiz-tourisme: l'an 2000

1 Nombre de touristes étrangers* en France en l'an 2000?
a) 73 000; **b)** 7,3 millions; **c)** 73 millions.

2 Quel est le pays le plus touristique?
a) l'Espagne; **b)** les Etats-Unis; **c)** la France; **d)** l'Italie.

3 Quelles sont les deux régions les plus touristiques?
a) la Bretagne*; **b)** Paris et sa région; **c)** la Normandie; **d)** le sud-est; **e)** le Nord.

4 Quelle est la ville la plus visitée?
a) Rome; **b)** Londres; **c)** Paris; **d)** New-York; **e)** Mexico.

Tourisme et tragédie

Avec plus de 8 000 morts* par an, les routes* françaises sont dangereuses. Les week-ends de fête sont très dangereux: 98 victimes pour le week-end du 1er mai 2000! Par exemple, les 18–25 ans ont beaucoup d'accidents en voiture, en cyclomoteur* ou en scooter.

Les principales raisons des accidents sont la vitesse*, la fatigue et l'alcool. Les autoroutes* sont moins dangereuses, mais elles sont chères: en France, on paye pour aller sur l'autoroute.

Quelle est la solution? Limiter la vitesse plus sévèrement? Installer plus de caméras? Faire de la publicité? Donner des sanctions plus strictes?

Glossaire

étranger = foreign
la Bretagne = Brittany
mort = dead
une route = a road
un cyclomoteur = a moped
la vitesse = speed
une autoroute = a motorway

L'Incroyable* Pique-nique

2000
en france
l'incroyable pique-nique
le 14 juillet 2000
sur la Méridienne Verte

Le 14 juillet 2000, 337 villes et villages ont organisé des centaines de pique-niques sur le méridien de Paris. Il n'y avait pas beaucoup de soleil, mais l'atmosphère était fantastique. On a mangé, on a bu et on a vu des avions* faire des acrobaties fabuleuses.

Dunkerque
Amiens
Paris
Orléans
Bourges
Montluçon
Aurillac
Rodez
Carcassonne
Prats de Mollo

En plus, le 13 et le 14 juillet, des sportifs* ont fait des courses-relais*: courses à pied, cyclisme, équitation . . . Des sportifs ont commencé dans le nord de la France, d'autres sportifs ont commencé dans le sud de la France . . . et devinez le reste!

Le mur pour la Paix*

Superbe monument à Paris en l'an 2000: le mur pour la Paix. C'était un mur transparent avec le mot «paix» écrit en 32 langues et 14 alphabets différents. Beaucoup de personnes ont laissé* des messages. Les thèmes favoris: oui à la paix, à la tolérance et au respect; non aux massacres, à la violence et au racisme.

La Techno Parade

C'est une parade en septembre, à Paris. Il y a un carnaval et beaucoup de concerts de musique techno: plus de 200 DJ et 380 000 watts de musique en l'an 2000!
Tu veux plus de détails? Consulte le site www.wmevent.net, qui donne aussi plus de détails sur l'Incroyable Pique-Nique.

Glossaire

incroyable = incredible
un avion = a plane
des sportifs = sportsmen and women
une course-relais = a relay race
le mur pour la Paix = the Wall for Peace
ont laissé (laisser) = left (to leave)

A l'office de tourisme

Making enquiries at a tourist office
Adapting a written model for oral and written practice

1 Ecoute et regarde la conversation.
Est-ce qu'on mentionne les thèmes **1–8**?

1	le temps	5	un jour de la semaine
2	l'argent	6	une activité sportive
3	une visite	7	la côte ou la mer
4	une distance	8	l'heure

Pendant ses vacances en Normandie,
Thomas va à l'office de tourisme avec Baptiste.

Baptiste – **Bonjour, madame.**
Hôtesse – **Bonjour.**
Thomas – **Le château est ouvert aujourd'hui?**
Hôtesse – **Il est ouvert tous les jours, sauf le mardi.**
Baptiste – **Ah, il est fermé le mardi? D'accord.**
Thomas – **Il y a un parking près du château?**
Hôtesse – **Oui, à 200m du château.**

. . .

Thomas – **Le château ouvre à quelle heure?**
Hôtesse – **Le matin, il ouvre à 10h.**
Thomas – **Et il ferme à quelle heure?**
Hôtesse – **Le soir, il ferme à 18h.**
Thomas – **Il est ouvert pour le déjeuner?**
Hôtesse – **Non. Il est fermé entre 13h et 14h.**
Thomas – **D'accord, merci!**
Hôtesse – **Au revoir!**

o.t.-s.i. · Syndicat d'Initiative · Office de Tourisme ·

2 **a** Entraîne-toi à bien prononcer **1–6** à l'aide de la cassette/du CD.

1 **Le château ouvre à 10h.**

2 **Le château ferme à 18h.**

3 **L'office de tourisme est ouvert.**

4 **L'office de tourisme est fermé.**

5 **Le parking est près du musée.**

6 **Tous les jours, sauf le mardi.**

b Entraînez-vous à jouer la conversation p50 à trois.

3 Baptiste a une autre question:

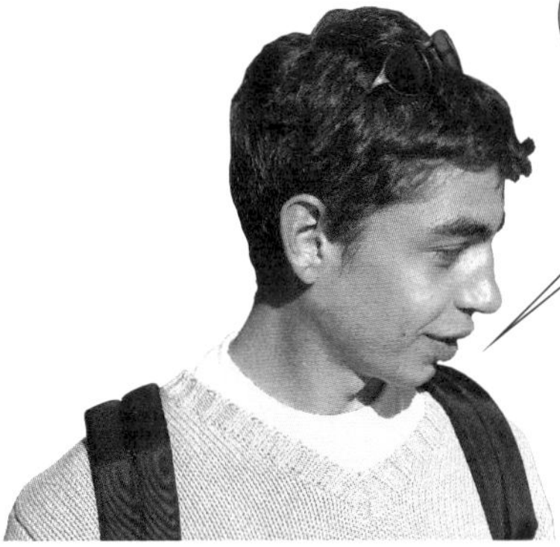

Est-ce que le château est bien pour les handicapés?

a Ecoute les réponses **1–8** et choisis **A**, **B** ou **C**.

If the receptionist . . .

. . . thinks it's easy → write A

. . . thinks it isn't easy → write B

. . . doesn't know → write C.

b Vérifie à l'aide de la Feuille **1A**.

4 **a** A trois, jouez les dialogues de la Feuille **1B**.

b Fais un dialogue de la Feuille **1** par écrit.

Deux jours à Honfleur

Describing a leisure trip — **The perfect tense singular (revision)**
Speaking from notes — ***Ne . . . pas* in the perfect tense (revision)**

grammaire

1
Le passé composé The perfect tense

These two pages will prepare you for getting back to Thomas's visit pp54–55.
First, revise the perfect tense with your teacher and Feuille **2**.

2 Traduis **1–7** à l'aide des notes d'Alexia.

1	I travelled	**5**	a hotel
2	the journey	**6**	a bridge
3	lasted	**7**	a farm
4	the port/harbour		

Notes d'Alexia

A Le voyage . . .
J'ai passé deux jours à Honfleur.
J'ai voyagé en voiture.
Le voyage a duré deux heures.

B Jeudi matin . . .
J'ai fait une promenade dans le centre-ville.
J'ai vu le port.
J'ai pris des photos dans le port.

C Jeudi après-midi . . .
J'ai visité un musée.
J'ai trouvé un hôtel dans le centre-ville.
J'ai visité un pont très long après le dîner.

D Vendredi . . .
J'ai quitté l'hôtel à 8h30.
J'ai visité une ferme.
J'ai quitté Honfleur à 14h pour rentrer à Paris.

3 Travaille à l'aide des notes d'Alexia p52, activité **2**.

a Ecoute **1–12** et lève le doigt pour corriger les erreurs.

b Ecoute **1–7** et trouve la bonne section p52: **A**, **B**, **C** ou **D**?

4 Entraînez-vous à deux ou plus.
Objectif: décrire la visite d'Alexia seulement à l'aide de ce support.

Voyage:	**deux jours – voiture – deux heures**
Jeudi matin:	**une promenade – le port – des photos**
Jeudi après-midi:	**un musée – un hôtel – un pont**
Vendredi:	**l'hôtel – une ferme – 14h (Paris)**

5 Entraînez-vous à deux comme dans l'exemple.
Référence: activité **2** p52.

Alexia a passé une semaine à Honfleur?

Non, elle n'a pas passé une semaine à Honfleur. Elle a passé deux jours à Honfleur!

grammaire

Le passé composé avec «ne . . .pas» (révision)

Watch the word order carefully in the example.

A1 . . . passé une semaine à Honfleur?
A2 . . . voyagé en train?

B1 . . . fait une promenade dans le parc?
B2 . . . vu la patinoire?
B3 . . . pris des photos dans la ville?

C1 . . . visité une église?
C2 . . . trouvé un hôtel près du port?
C3 . . . visité le pont avant le dîner?

D1 . . . quitté l'hôtel à 10h30?
D2 . . . visité des sites historiques?
D3 . . . quitté Honfleur à18h?

6 Scénario: tu as visité Honfleur et tu es excentrique.
A l'aide de l'activité **5**, écris tes notes de voyage . . . négatives!
Exemple *Je n'ai pas passé une semaine à Honfleur.*

Thomas a fait du tourisme

Describing a leisure trip
Using context for meaning
The perfect tense with *on* (revision)
Adapting a written model

1 Après les vacances de Thomas, la mère de Baptiste a fait un album photos.

a Quel paragraphe p55 décrit chaque photo: le premier ou le deuxième?

b Traduis **1–8** seulement à l'aide de la page 55.

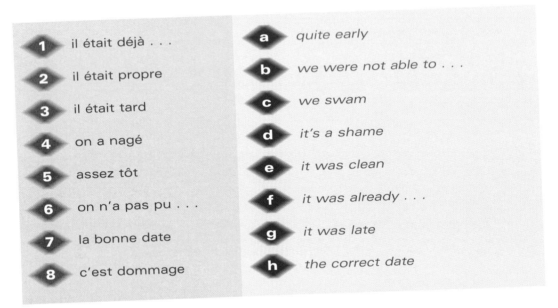

1 il était déjà . . .	**a** *quite early*
2 il était propre	**b** *we were not able to . . .*
3 il était tard	**c** *we swam*
4 on a nagé	**d** *it's a shame*
5 assez tôt	**e** *it was clean*
6 on n'a pas pu . . .	**f** *it was already . . .*
7 la bonne date	**g** *it was late*
8 c'est dommage	**h** *the correct date*

c Ecoute **1–10** et lève la main si c'est vrai (voir p55).
Attention aux phrases négatives!

grammaire

Le passé composé The perfect tense

- The photo captions p55 use *On* + verb a lot.
  What is the difference between *J'ai visité* and *On a visité*?
- Verbs with *on* use the same endings as verbs with -?- and -?-.

2 Travaillez à deux ou plus.
Une personne lit un extrait de la page 55 → de mémoire, une autre personne répond:

C'est la première photo!

C'est la deuxième photo! ou *C'est la troisième photo!*

- On a passé deux jours à Honfleur: c'est à 100km de Clécy et le voyage a duré deux heures: c'était long parce qu'il y a beaucoup de voitures sur la côte.
- Le premier jour, on a fait une promenade dans le centre-ville et dans le port. Après, on a visité le Musée de la Marine.

HOTEL DU DAUPHIN

- Il était déjà 6h quand on a trouvé un hôtel dans le centre-ville, à 100 mètres du port. En plus, il était propre, confortable et idéal pour faire du tourisme.
- Le soir, on a fait une promenade sur le Pont de Normandie, près de Honfleur. Il est long de 2km et il est superbe! Après, il était tard mais on a nagé dans la piscine de l'hôtel.

CIDRE - POIRÉ
POMMEAU - CALVADOS
GAEC de la GALOTIERE

- Le deuxième jour, on a quitté l'hôtel assez tôt pour visiter une ferme ancienne dans un village de la région. On a bu du cidre, mais on n'a pas pu rester pour déjeuner.
- On n'a pas vu la Fête de la Crevette* parce que ce n'était pas la bonne date: la fête est en septembre. C'est dommage! On a quitté Honfleur à 6h pour dîner chez mes parents.

Glossaire

une crevette = a shrimp

3 **a** En groupe, entraînez-vous à lire la page 55 à haute voix, mais changez des détails.

b Recommence avec une section au choix, mais par écrit.

c Fais la Feuille 3.

Optional extras

Pronunciation: *-é-* and *-è-*
Selecting the correct translation in a dictionary (French–English)
Recognizing past and present

1 Prononciation: *-é-* ou *-è-*?

Recopie les mots en deux listes, puis vérifie à l'aide de la cassette/le CD.

nager **ouvert** **la mer** **un musée** **l'hôtel** **une ferme**
un chemisier **c'est cher** **mauvais** **voyager**
du soleil **une semaine** **fermer** **durer** **vous avez**

2 Poème en *-é-*

C'est juillet, regardez,
Le soleil et l'été*.
Mais hélas, devinez:
On ne peut pas nager!
On ne peut pas nager?
Non, la mer est fermée.

La mer? Elle est fermée?
Oui, elle a décidé:
«Les touristes agités,
Les enfants excités,
Ça ne peut pas durer,
C'est trop, je vais fermer!»

Alors elle a fermé,
Elle a caché la clé*
Et elle a déserté:
«Avec mon eau salée*,
Je suis partie chercher
Quelque tranquillité.»

Elle a bien voyagé,
Elle a beaucoup cherché,
Elle a tout regardé,
Elle a tout visité.
Mais la tranquillité?
Je crois* qu'elle va rentrer . . .

La mer
est
fermée

Glossaire
l'été = the summer
la clé = the key
salée = salted
je crois = I think

3 Présent ou passé?

a Lis **1–8** et écris ↓ (= présent) ou ← (= passé).

1 Pourquoi est-ce que ton père n'a pas voyagé en voiture?
2 La visite a seulement duré 15 minutes parce qu'il était déjà tard.
3 Est-ce que le château ferme toujours à 16h30?
4 Pourquoi est-ce que le musée ouvre seulement l'après-midi?
5 Est-ce que tu voyages souvent en train?
6 On a nagé dans la piscine de l'hôtel, mais pas dans la mer.
7 J'ai visité une ferme qui était très ancienne mais superbe.
8 Est-ce que tu as pris des photos quand tu as été voir le pont?

b Ecoute **1–10** et écris ↓ (= présent) ou ← (= passé).

4 Dictionnaire

Traduis les mots **en caractères gras** (in bold).

1 Tu vas en ville? Moi, je n'ai pas le **temps**.
2 C'est juillet, mais le **temps** est horrible!
3 C'est quel **temps**? Le présent ou le futur?
4 Mon collège est très **ancien**.
5 Regarde! C'est mon **ancien** professeur.
6 Tu veux prendre l'autobus ou **marcher**?
7 Zut, mon ordinateur ne **marche** pas!
8 Le fromage est très **bon** en Normandie.
9 Zut! Je n'ai pas fait le **bon** exercice!

message X

The words in bold have several meanings. To translate them correctly, look carefully at the context provided by each sentence.

Désolé, pas aujourd'hui!

Optional extras

Prepositions like *près du* . . .
The perfect tense plural of *avoir* verbs (optional)

grammaire

5 Près du . . .

So far, you have learnt these words to describe where things or people are:

devant le musée
(in front of . . .)

derrière le musée
(behind . . .)

dans le musée
(in . . .)

sur la table
(on . . .)

sous la table
(under . . .)

entre Honfleur et Caen
(between . . .)

près du musée
(near . . .)

en face du musée
(opposite . . .)

à côté du musée
(next to . . .)

à droite du musée
(to the right of . . .)

à gauche du musée
(to the left of . . .)

loin du musée
(far from . . .)

The words on the right are trickier.
Why? Because *du* sometimes changes to *de la*, *de l'* or *des*.
Read and learn the explanations given in *AnneXe* p44.

A toi!

a Regarde le dessin p59 et écoute **1–15**: c'est vrai ou faux?

b Ecris au moins 10 phrases pour décrire le dessin p59.

Exemples La casquette est sous le stylo.
La glace est à gauche de la montre.

c Fais la Feuille **4**.

d Dis la bulle, encore et encore, de plus en plus vite:

Sous le pont
Sur le dos*
Sans un sou*.

Glossaire
dos = back
sou = penny

GAUCHE
DROITE

grammaire

6 Le passé composé The perfect tense

You know how to make up the perfect tense in the singular, but now ...

a Guess how to make up the plural with the help of these photos.

b Check in *AnneXe* p52.

c Do Feuille **5**.

Vous avez nagé à Honfleur?
Oui, nous avons trouvé un hôtel avec une piscine.
Baptiste et Thomas ont acheté des souvenirs?
Oui, ils ont acheté des casquettes.

More challenging activities

1 Madame Snob n'est pas satisfaite de ses vacances.
Lis sa lettre et écris ses raisons en anglais.
Ecris huit détails ou plus, sous forme de notes.

Paris, 3 novembre 2002

Cher Edouard,

En septembre, j'ai passé une semaine de vacances sur la côte dans le sud de la France et c'était atroce. Normalement, il fait chaud en septembre, mais il a fait très mauvais: il y a eu du vent tous les jours et je n'ai pas nagé dans la mer parce que l'eau était trop froide.

J'ai passé la semaine dans un grand hôtel, mais il y avait trois groupes de touristes américains très bruyants. En plus, je n'ai pas pu dormir parce qu'il y avait un pont avec beaucoup de voitures près de ma fenêtre.

J'ai nagé dans la piscine de l'hôtel, mais elle n'était pas très propre et l'eau n'était pas assez chaude. En plus, quelquefois, la piscine était fermée le soir. Je ne sais pas pourquoi!

Et pour manger? J'ai seulement dîné une fois à l'hôtel parce que tait trop mauvais!

J'attends votre visite.

Amitiés,

Jacqueline

2 Ecris un message à l'aide des notes en anglais.
Comment? Recopie le modèle mais change les mots soulignés.

- castle in grandparents' town
- open every day (10.30-17.30) except Tuesdays
- car park near castle, with market on Tuesday mornings
- visited castle three times: great visit
- bought souvenirs in the castle shop

Modèle

Dans le village de mes cousins, il y a un musée qui ouvre tous les matins sauf le lundi. Il est ouvert entre 9h et 12h30. Il y a un parking à 200 ou 300 mètres du musée, et le samedi soir il y a une fête sur le parking.

J'ai vu le musée deux fois et j'ai trouvé la visite ennuyeuse. J'ai acheté des cartes postales dans le magasin du musée.

3 Fais la Feuille **6** à l'aide de la cassette/du CD.

4 Décris un week-end ou des vacances oralement (huit détails ou plus).
Support visuel: utilise des notes très courtes, des dessins ou des photos.

5 Invente ta bulle pour le dessin.

J'ai passé des vacances sur l'océan
. . . et je n'ai pas pu rentrer!

Océanopolis

Le parc Océanopolis est à Brest, une grande ville en Bretagne*.

- Son succès: 3,5 millions de visiteurs en 10 ans.
- Son thème: les mers et les océans de la planète.
- Son record: c'est le plus grand parc d'Europe sur les mers et les océans.
- Ses attractions: 3 700m^3 d'aquariums, mais aussi des films, des documents, des boutiques, des restaurants et des jardins.

- Ses pavillons: le pavillon polaire, le pavillon tropical et le pavillon tempéré, avec des conditions naturelles (qualité de l'eau, etc.) et une grande variété de poissons et d'autres animaux.

Pour voir des photos, consulte le site www.oceanopolis.com: il est superbe!

La catastrophe de l'Erika

Désastre écologique en France le 12 décembre 1999! L'Erika, un bateau* de 25 ans, a coulé* dans l'océan Atlantique avec 30 000 tonnes de pétrole. La raison: une tempête. Le 23 décembre, le pétrole de l'Erika a commencé à polluer la côte ouest de la France sur 500km.

L'armée, des volontaires et des professionnels ont aidé sur la côte. Ils ont aussi essayé de sauver un maximum d'oiseaux, mais plus de 300 000 oiseaux sont morts*.

Glossaire

Bretagne = Brittany
un bateau = a ship
couler = to sink
mort = dead

Des dauphins en France

Est-ce qu'il y a des dauphins en France? Mais oui! En Normandie, par exemple, il y a une colonie de 100 à 150 dauphins dans la baie du Mont Saint-Michel. Des volontaires observent les dauphins pour leur protection et pour la science. Par exemple, ils regardent leur attitude et leurs mouvements. Et maintenant, le public aussi peut observer les dauphins au Mont Saint-Michel.

Les deux tempêtes*

Deuxième catastrophe écologique en France, en 1999, avec les deux tempêtes de décembre:

- le 26 décembre dans le nord de la France;
- le 28 décembre dans le sud de la France.

Quel temps! Le vent a fait entre 150 et 200km à l'heure.

Résultat des tempêtes:

- 130 millions d'arbres dévastés dans les forêts, les parcs et les jardins;
- 10 000 arbres dévastés à Versailles, dans le parc du château;
- 3 millions de maisons et d'appartements sans électricité;
- 50 000 techniciens d'Electricité de France pour réparer;
- des électriciens de pays étrangers* pour aider la France;
- de sérieuses difficultés dans les transports (trains);
- 400 000 maisons et appartements sans téléphone;
- un total de 92 morts*.

Glossaire

une tempête = a storm
étranger = foreign
mort = dead

Je peux laisser un message?

Taking and leaving phone messages
Revising numbers

1 Regarde et écoute la conversation → réponds aux questions de ton professeur.

Exemple **1** *Qui . . . téléphone chez M. Vasseur?*

M. Vasseur – **Allô? Ici Monsieur Vasseur. C'est qui?**

Delphine – **C'est Delphine. Je peux parler à Marie, s'il vous plaît?**

M. Vasseur – **Désolé, elle n'est pas là.**

Delphine – **Comment? Je n'entends pas.**

M. Vasseur – **Elle n'est pas à la maison.**

Delphine – **Je peux laisser un message pour Marie?**

M. Vasseur – **Mais oui, j'écoute.**

Delphine – **Est-ce qu'elle peut téléphoner chez moi?**

M. Vasseur – **D'accord. C'est quel numéro?**

Delphine – **Mon numéro? C'est le 02 34 56 18.**

M. Vasseur – **Ah, mais . . . tu peux téléphoner chez Florian. Elle est chez Florian.**

. . .

Delphine – **Allô, Florian? C'est Delphine. Je voudrais parler à Marie.**

Florian – **Un instant. Ah . . . elle est aux toilettes.**

Delphine – **Elle peut téléphoner?**

Florian – **Sur ton portable?**

Delphine – **Non, chez moi. Je ne peux pas sortir!**

NOKIA
Phone book
Select

Un portable

2 Regarde la conversation de l'activité **1** et écoute ton professeur.
Qui a dit ça? Delphine, Florian ou M. Vasseur?

3 Pour chaque question, trouve la réponse bizarre.

1 Allô, c'est qui?

- **A** Je suis un copain de Valérie.
- **B** C'est un message pour Valérie.
- **C** C'est Frank. Je peux parler à Valérie?

2 Je peux parler à Julien?

- **A** Ah . . . il est absent aujourd'hui.
- **B** Un instant . . . Julien, le téléphone!
- **C** Tu sais . . . il ne parle pas beaucoup.

3 Je peux laisser un message?

- **A** Oui, mais quand?
- **B** Oui, pour qui?
- **C** Oui, c'est qui?

4 C'est quel numéro?

- **A** Oui, j'ai un portable.
- **B** Ça va, Nadia a mon numéro.
- **C** Euh . . . c'est le 04 13 90 53.

4 Imite l'exemple:

A *C'est le zéro deux, trente-quatre, cinquante-six, dix-huit.*

A	02 34 56 18	C	05 14 90 02	E	02 13 70 58	G	03 81 28 47
B	03 66 47 29	D	01 38 75 90	F	04 72 46 53	H	04 79 69 34

5 Ecoute les messages téléphoniques **1–6** et prends des notes en anglais.

Exemple 1 Nadia → Fatima.
Nadia can't go out today.

6 Jouez le scénario de la page 64 à trois, seulement à l'aide d'*AnneXe*.

message **X**

Make sure you remember the storyline from p64, then practise in your own words.

Tu ne sors pas?

Describing past events
Using common *être* verbs with *je/tu* in the perfect tense

1 Ecoute Arnaud et Delphine → recopie et complète la phrase:

Arnaud voudrait aller au ___ avec ___ à 2h30 ou à ___, mais elle ne peut pas ___ parce qu'elle a un problème avec ses ___.

LAFUMA

2 Delphine décrit son problème à Sébastien dans un e-mail. Traduis **1–5** à l'aide de l'e-mail.

1 I stayed
2 I left
3 I went
4 I arrived
5 I went in/into

Salut, Sébastien!

Merci de ton message. C'est samedi après-midi mais je ne peux pas sortir parce que j'ai un problème!

Mardi matin, après le petit déjeuner, je suis restée dans ma chambre devant la télé. Je suis partie à 8h10 pour l'allemand à 8h30 mais, avant le collège, je suis allée à la boulangerie.

Je suis arrivée au collège à 8h40. Quand je suis entrée dans la classe, je suis restée près de la porte.

grammaire

3 Le passé composé The perfect tense

- In the first person singular, most verbs in the perfect tense use *j'ai* + past participle:

  I ate/I have eaten: j'ai mangé

- A few verbs are different:
  – they use *je suis* instead.
  – the past participle agrees with the *je*:

  I left/I have left: je suis parti or je suis partie

A toi!

a Fais la Feuille **1**.

b Ecoute Delphine (**1–9**).
Tu entends un verbe au passé composé avec *être*? Lève le doigt!

c Réécoute Delphine et compare avec son e-mail p66: vrai ou faux?

4 Fais correspondre **1–5** à **a–e**.

1 Delphine, tu es restée chez toi mardi?

2 Tu es partie à quelle heure?

3 Tu es allée au collège directement?

4 Tu es arrivée au collège à quelle heure?

5 Tu es entrée dans la classe?

a Non, je suis allée à la boulangerie.

b Oui, je suis entrée pour l'allemand.

c Je suis partie à 8h10.

d Non, je suis allée au collège.

e Je suis arrivée à 8h40.

5 Recopie l'e-mail p66 (paragraphes 2–3), mais change des détails.

→ échange avec un(e) partenaire

→ de mémoire, souligne les détails faux dans l'e-mail de ton/ta partenaire

→ de mémoire, corrige les détails faux.

Exemple

Mardi après-midi, après le petit déjeuner, . . .

↓

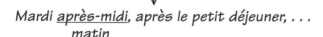

Mardi <u>après-midi</u>, après le petit déjeuner, . . .
matin

Problème au collège

Describing past events
Stating opinions and reactions
Common *être* verbs in the perfect tense singular (+ *eXpo*)

1 Delphine continue son e-mail.
Lis **1–6** → devine → lis l'e-mail.

1	Delphine's teacher was **calm/angry**.
2	Delphine went **into the corridor/to the head's office.**
3	She went **to the canteen/back to her lesson.**
4	Her mother went to see **the teacher/ the head**.
5	Now, Delphine **is grounded/must do extra work**.
6	Sébastien has had a **school/sports** problem.

Mme Vechter est restée calme et elle a regardé dans ma direction. Elle est sortie dans le couloir et . . . moi aussi! Après, elle est retournée dans la classe et elle a fermé la porte! Moi, je suis partie et je suis restée à la cantine jusqu'à 9h30.

Jeudi, ma mère est allée au collège pour voir Mme Vechter. Quand elle est rentrée à la maison: aïe, aïe, aïe! Maintenant, je dois rester à la maison le soir et le week-end pendant deux semaines.

Et toi, Sébastien? Et ton accident avec ton VTT? Ça va? Tu es allé au collège ou tu es resté à la maison? Ton père est retourné au magasin de VTT? Et . . . est-ce que tu es sorti avec Amandine?

Réponds vite: c'est nul à la maison!

Grosses bises,
Delphine

2 Fais correspondre **1–7** à **a–g** à l'aide de l'e-mail.

1 il est sorti	**5** tu es resté	**a** I went	**e** he went back
2 je suis allée	**6** elle est sortie	**b** he went out	**f** he came back home
3 elle est allée	**7** il est rentré	**c** you stayed	**g** she went
4 il est retourné		**d** she went out	

3 Le passé composé The perfect tense

You have now come across all singular forms of the perfect tense of *être* verbs. Here is an example:

I went	je suis allé . . .	or	. . . je suis allée
you went	tu es allé . . .	or	. . . tu es allée
he went	il est allé		
she went	elle est allée		
one/we went	on est allé		

A toi!

a Apprends les verbes à l'aide de ton professeur:

Je suis allé. — *I went!* — *You stayed.* — *Tu es resté!*

b Réponds aux questions **1–8**: c'est qui?

A Mme Vechter **B** Delphine **C** La mère de Delphine

Exemple

1 Qui est resté calme? → *1 A*

c Fais la Feuille 2.

4 a Tu es d'accord avec **1–6**? Ecris *oui, bof* ou *non*.

1 *Delphine est arrivée en retard, mais dix minutes, ce n'est pas important.*

2 *La prof est restée calme: c'est bien! C'est une bonne réaction.*

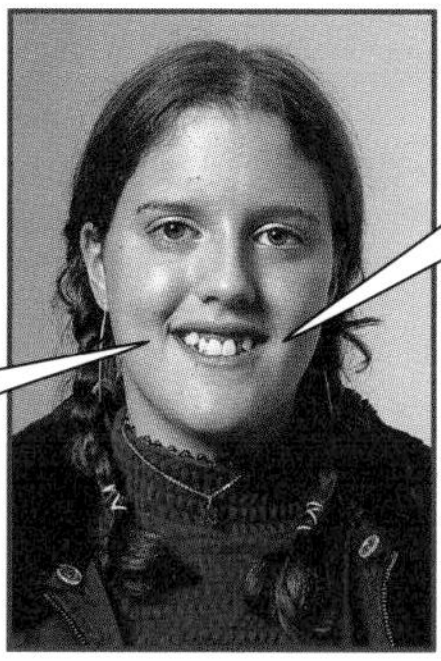

3 *La prof est restée calme. Pourquoi? C'est bizarre!*

4 *Dix minutes de retard, c'est important et ce n'est pas acceptable.*

5 *Delphine doit changer son travail et son attitude. C'est nécessaire.*

6 *Je déteste les punitions, mais c'est quelquefois nécessaire.*

b Et toi? Ecris ton opinion sur Delphine en une ou deux phrases.

Optional extras

Stocktake on the perfect tense singular of *être* verbs

grammaire X

1 ## 'I went . . .'

To say 'I went', 'you went', etc., you can use either of these:

je suis allé(e)	j'ai été
tu es allé(e)	tu as été
il est allé	il a été
elle est allée	elle a été

Je suis allé is better quality French.

However, *j'ai été* (taught in *Formule* X 2) is also used a lot by French speakers.

2 ## Aide-mémoire

message X

- This poem – also on cassette/CD and in the *Copymasters* – will help you memorize the *être* verbs in the perfect tense.
- Another useful tip: learn the *être* verbs in pairs of opposites:

Je suis entré(e) – Je suis sorti(e)	I came in – I went out
Je suis venu(e) – Je suis allé(e)	I came – I went
Je suis arrivé(e) – Je suis parti(e)	I arrived – I left
Je suis rentré(e) – Je suis retourné(e)	I got back (in/home) – I went back

Je suis sorti . . .

Je suis sorti avec Fifi,
Je suis allé au Zimbabwe,
Je suis venu pour dire salut,
Je suis arrivé tard: fermé!
Je suis entré dans un poulet,
Je suis resté pour le manger,
Je suis parti, mais sans Fifi,
Je suis rentré, mais pas à pied,
Je suis retourné me coucher.

A
B
AFRIQUE
C
D
ZIMBABWE
FERMÉ
E
F
G
H
I

Optional extras

Recycling useful verbs and adverbs
Words with multiple translations: *to leave*
Adapting a written model

3 Traduction

a Fais correspondre **1–10** à **a–j**.

b Cache **a–j** et, à deux, entraînez-vous à traduire **1–10** sans support.

c Cache **1–10**, écoute, et trouve les traductions (**a–j**).

d Cache **1–10** et, à deux, entraînez-vous à traduire **a–j** sans support.

e Cache **1–10** et traduis **a–j** sans support, par écrit.

1. Je parle rarement à Yasmina.
2. Je parle souvent avec Yasmina.
3. Je ne parle jamais à Yasmina.
4. Je veux parler à Yasmina.
5. Je peux parler à Yasmina?
6. Tu peux parler à Yasmina?
7. J'aime parler avec Yasmina.
8. Je voudrais parler à Yasmina.
9. Je dois parler à Yasmina.
10. J'aimerais mieux parler à Yasmina.

Est-ce que tu connais Yasmina?

Yasmina, c'est moi!

a *Can I speak to Yasmina?*
b *I like speaking with Yasmina.*
c *I often speak with Yasmina.*
d *I'd rather speak to Yasmina.*
e *I rarely speak to Yasmina.*
f *I would like to speak to Yasmina.*
g *I want to speak to Yasmina.*
h *I must speak to Yasmina.*
i *I never speak to Yasmina.*
j *Can you speak to Yasmina?*

message X

I want, I must, I can, I like, I'd like, I'd rather . . .
Often, sometimes, rarely, never . . .
Such verbs and adverbs – which are not new – are very useful.
You probably never spend a day or even an hour without using them!

4 'To leave': *laisser . . . quitter . . . partir*

message X

There are three ways of translating 'to leave' in French depending on the context. Study these examples carefully and learn them by heart.

Je suis parti à 8h.	I left at 8.00.
J'ai quitté la piscine à 8h.	I left the swimming pool at 8.00.
J'ai laissé mon sac chez moi.	I left my bag at home.

Complète **1–10** avec le verbe exact.

1. J'ai **laissé/quitté/parti** mon sac dans la salle de sport.
2. Tu veux **laisser/quitter/partir** plus tôt jeudi?
3. Vous allez **laisser/quitter/partir** à quelle heure?
4. Pourquoi est-ce que Julien a **laissé/quitté/parti** Sylviane?
5. Ne **laisse/quitte/pars** pas ton sandwich sur la chaise!
6. J'ai **laissé/quitté/parti** le collège à 5h30.
7. Il **laisse/quitte/part** toujours en retard pour le travail!
8. Elle **laisse/quitte/part** toujours ses baskets sur le canapé!
9. Si tu **laisses/quittes/pars** Paris, tu vas habiter où?
10. Zut! Je suis **laissé/quitté/parti** sans ma montre ce matin!

5 Poème

Adapte le poème de la page 70.

Je suis sorti(e) . . .
Je suis allé(e) . . .
Je suis venu(e) . . .
Je suis arrivé(e) . . .
Je suis entré(e) . . .
Je suis resté(e) . . .
Je suis parti(e) . . .
Je suis rentré(e) . . .
Je suis retourné(e) . . .

Tu as fini? Montre-moi ton poème.
Moi aussi, je voudrais lire ton poème.

More challenging activities

1 Tu as des problèmes au collège?
Cherche les mots **en caractères gras** dans un dictionnaire → lis **1–10** et réponds au choix:

jamais | rarement | quelquefois | assez souvent | très souvent

Est-ce que . . .

1 . . . tu oublies quelquefois de faire une **punition**?

2 . . . tu dois **refaire** ton travail parce que tu as **triché**?

3 . . . tu dois aller voir le **directeur** ou la directrice?

4 . . . tu as quelquefois une **colle** parce que ton travail n'est pas assez bon?

5 . . . tu as quelquefois une colle parce que tu ne fais pas tes devoirs?

6 . . . tu as quelquefois une colle parce que tu arrives en retard?

7 . . . tu dois quelquefois faire des devoirs **supplémentaires**?

8 . . . tes profs contactent quelquefois tes parents **à cause de** ton travail?

9 . . . tes profs contactent quelquefois tes parents à cause de ton attitude?

10 . . . tu es quelquefois trop paresseux ou paresseuse pour réviser?

2 Scénario:

Tu n'as pas la permission de sortir à cause d'un accident au collège.

SCRABBLE
DES CHIFFRES
ET DES LETTRES

Ecris un e-mail à un copain ou une copine pour expliquer l'incident (40 mots minimum).

3 **a** A deux ou plus, écrivez au moins six réponses possibles à la question:

Allô, je peux laisser un message, s'il vous plaît?

b Ecoute les conversations téléphoniques **1–8**.
Les personnes acceptent un message, oui ou non?

4 **a** Ecoute la conversation téléphonique deux fois et prends des notes en anglais.

b Comparez vos notes à deux ou trois.

c Ecoute la conversation une troisième fois et complète tes notes.

d Lis la Feuille 5A et trouve le paragraphe exact (**A–C**) à l'aide de tes notes.

5 A deux, entraînez-vous à jouer les deux rôles.

Person A	**Ask to speak to someone of your choice.**
Person B	**Say that (s)he is not at home.**
A	**Ask if you can leave a message.**
B	**Ask them to wait a moment: you are looking for a pen.**
A	**Give your full name and spell your surname.**
B	**Repeat the spelling.**
A	**Say that you can't go out on Saturday evening.**
B	**Ask for A's phone number.**
A	**Give your phone number as 03 45 67 92.**
B	**End the dialogue politely.**
A	**End the dialogue politely.**

message X

This is not a word-by-word translation activity: it is about getting the message across. For example, there are many ways in which you can get across the idea that you are looking for a pen to take a phone message:

Un stylo . . . Oui, j'écoute.
Je n'ai pas de stylo . . . Ah, voilà!
Je cherche un stylo . . . Ah, voilà!
Je ne trouve pas mon stylo . . . Ah, ça va!
Zut! Où est mon stylo! Ah, ça va, j'écoute!
Amandine, tu as un stylo? Ah, merci. Bon, j'écoute!

Les punitions au collège

Voici l'opinion des Français de 11 à 16 ans:

Les punitions sont utiles*. . .

	OUI	NON
. . . pour améliorer* le travail:	60%	40%
. . . pour limiter les absences:	45%	55%
. . . pour la sécurité des élèves*:	58%	42%
. . . pour la sécurité des professeurs:	52%	48%

Génération ados

Génération ados

Qu'est-ce qui est important pour les adolescents en France?

- En première place: la famille (82%)
- En deuxième place: l'amitié* (75%)
- En troisième place: l'école (61%)

Et qu'est-ce qui est un problème?

- Trouver du travail
- La violence
- L'alcool
- La solitude

Autres résultats intéressants:

- La musique et le sport sont agréables mais ne sont pas importants.
- Les examens sont plus importants que l'argent.
- Les études* sont intéressantes, en particulier les sections techniques et professionnelles.
- Les mouvements anti-racistes sont importants.
- Les politiciens ne sont pas toujours très honnêtes.

Glossaire

utile = useful
améliorer = to improve
un élève = a pupil
l'amitié = friendship
les études = studies

LE FORUM DU TÉLÉPHONE

Mes parents sont souvent au téléphone. Ma solution: je téléphone quand mes parents ne sont pas à la maison.*

J'ai un portable avec des cartes. J'aime beaucoup parler et je suis plus indépendante avec mon portable.

Nous n'avons pas de téléphone à la maison parce que nous n'avons pas beaucoup d'argent.

J'ai eu un portable pour mon anniversaire et je fais du babysitting pour payer mes cartes.

Je téléphone chez moi, mais c'est difficile parce que le téléphone est dans le couloir. Mes parents ou ma sœur écoutent toujours.

Chez moi, nous avons une «ligne tchatche». C'est une deuxième ligne téléphonique. On a un contrat pour 10 heures, et après, c'est plus cher.*

Glossaire

au téléphone = on the phone
une ligne = a (phone) line

Elle a les cheveux bruns . . .

Giving and understanding descriptions of people
Adapting a written model
Listening for detail

Ma fille a 14 ans. Il est 21h et elle n'est pas rentrée. Elle est sortie à 11h30 ce matin pour faire du shopping en ville et pour aller au cinéma . . .

1 Lis la bulle → fais *vrai/faux* avec **1–7**.

1	M. Clément cherche sa fille.
2	Elle est avec la police.
3	Elle est à la maison.
4	Elle est sortie seule.
5	Elle a moins de 16 ans.
6	Elle est partie ce matin.
7	Elle a perdu une copine.

2 **a** Regarde *AnneXe* et écoute ton professeur:

Exemple
Prof: *Qui a les cheveux frisés?*

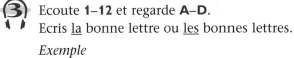

Moi!

ou

b Ecoute ton professeur et dis *oui* ou *non*.

Exemple
Prof: *Ryan a les yeux marron?*

3 Ecoute **1–12** et regarde **A–D**.
Ecris la bonne lettre ou les bonnes lettres.

Exemple
1 Il a les cheveux courts. *1 AD*

message X

Activities **2–6** wil prepare you for getting back to M. Clément's daughter in activity **7**.

A
B
C
D

4 Trouve les traductions en préparation à l'activité **5**.

1	Il a les cheveux longs.	A	*He doesn't have very long hair.*
2	Il a les cheveux assez longs.	B	*He doesn't wear glasses.*
3	Il a les cheveux très longs.	C	*He has long hair.*
4	Il n'a pas les cheveux très longs.	D	*He has very small eyes.*
5	Il a les yeux un peu verts.	E	*He has fairly long hair.*
6	Il a les yeux très petits.	F	*He has very long hair.*
7	Il porte des lunettes assez grandes.	G	*He wears fairly large glasses.*
8	Il ne porte pas de lunettes.	H	*His eyes are a little green.*

5 A l'aide du modèle, décris un acteur ou une actrice de télévision.
Est-ce que ta classe peut deviner l'acteur ou l'actrice?

> C'est une actrice sur BBC1 le lundi soir. Elle a les cheveux blonds et assez courts et les yeux bleus. Elle a environ 60 ans. Elle n'est pas très grande et elle n'est pas très grosse.

6 Improvise des phrases *vrai*/*faux* pour ta classe.

J'ai les cheveux courts?
Non, tu as les cheveux longs.

7 Retourne à M. Clément et sa fille (activité **1**) avec la Feuille **1**.

Salut! Il est tard?

Describing past events
Revision of the perfect tense singular (*avoir* and *être* verbs)

L'incident avec Flore (pp78–79) continue:

Salut! Oh, je suis fatiguée!
Il est 10h!

J'ai dit: «Rentre à 6h!»
Tu as dit 6h? Zut! J'ai compris 10h!

1 Mais où était Flore? En préparation à l'activité 2:

a Travaille avec la Feuille 2.

b Lis les définitions **1–7**: c'est où?
Exemple **1 un commissariat**

1	**C'est pour la police.**
2	**C'est pour les loisirs.**
3	**C'est pour de l'argent.**
4	**C'est pour prendre le train.**
5	**C'est pour déjeuner ou dîner.**
6	**C'est pour quand on est malade.**
7	**C'est pour les promenades, le football, les voitures . . .**

c Fini? Recommencez à deux, de mémoire.

2 **a** Lis le dialogue p81 avec le support d'*AnneXe* p12.

b Compare le dialogue p81 avec le dialogue sur cassette/CD: il y a des différences?

c Ecoute **1–10** et écris *vrai* ou *faux*.

d Corrige les erreurs de ton professeur.
Exemple

Flore est sortie à 11h.
Non. Elle est sortie à 11h30.

3 Entraîne-toi à lire ces phrases à haute voix de mémoire.

1. Samedi matin, Flore est sortie [redacted] 11h30.
2. Elle a [redacted] l'autobus pour aller en ville.
3. Elle est [redacted] sur la place devant la [redacted].
4. D'abord, elle a [redacted] dans la cafétéria à côté de la [redacted].
5. L'après-midi, elle a [redacted] du shopping.
6. Le soir, avant le [redacted], elle a mangé dans un [redacted] italien.
7. Maintenant, elle est au [redacted].

La police n'aime pas perdre son temps (to waste time).
Maintenant, Flore est au commissariat.

Policier – **Tu es sortie seule?**

Flore – **Euh . . . oui, je suis allée en ville. Je suis partie à 11h30.**

Policier – **Comment?**

Flore – **J'ai pris l'autobus. Je suis arrivée devant la gare à midi.**

Policier – **Sur la place Flaubert?**

Flore – **Oui, et j'ai déjeuné avec une copine.**

Policier – **Où?**

Flore – **Dans la cafétéria à côté de la banque.**

Policier – **Et après?**

Flore – **Euh . . . j'ai fait du shopping l'après-midi.**

Policier – **Et le soir?**

Flore – **Je suis retournée sur la place Flaubert.**

Policier – **Pourquoi?**

Flore – **J'ai mangé une pizza dans le restaurant italien avec un copain.**

Policier – **A quelle heure?**

Flore – **A 7h. Et après, on est allés au cinéma devant le théâtre.**

Policier – **Et ton père? Il est allé à l'hôpital . . . il est venu au commissariat . . . et tu es rentrée à 10h! C'était un bon film?**

Ce n'est pas vrai . . .

Using the perfect tense in narratives
Coping with complex sentences

1 Flore est allée en ville (p81)?
Mmm . . . Prépare-toi pour l'activité 2!

a Mémorise *AnneXe* p13 au maximum: *crier* → *essayer de*

b Ecoute **1–15** et mime l'action.

c Recopie **1–6** à l'aide d'*AnneXe*: **A** et **C** sont dans l'ordre exact; **B** est dans le désordre.

	A	B	C
1	La femme qui . . .	mais il a	. . . avait l'air bizarre.
2	L'homme . . .	quand j'ai vu	. . . un blouson marron.
3	A la fête, j'ai crié . . .	courir après	. . . le danger.
4	J'ai essayé de . . .	portait	. . . l'homme et la femme.
5	Je n'ai pas . . .	a attaqué Isaac	. . . la police.
6	Isaac a son sac, . . .	trouvé	. . . cassé sa montre.

2 Et Flore?
Trouve l'ordre exact des photos **A–E** à l'aide de son e-mail p83 (une photo par paragraphe).

A

B

CLAMECY
C

La police . . . ?
D

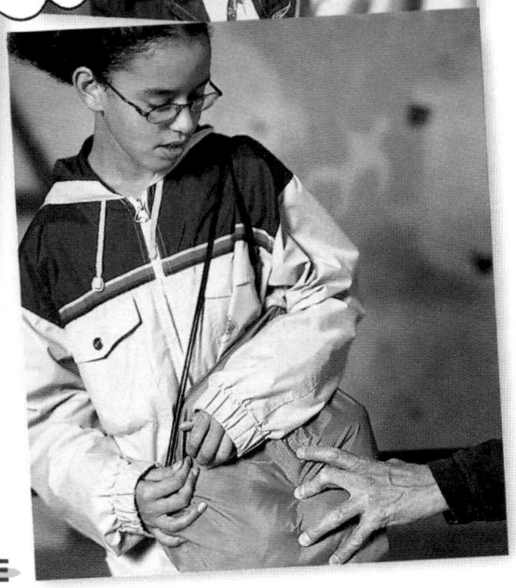
E

Je suis allée chez Chloë, on a pris l'autobus et on a déjeuné près de la gare. Après, on a pris un train pour aller à la fête à Beaugency.

A 5h, j'ai vu un homme et une femme derrière Chloë. L'homme avait l'air bizarre et la femme avait l'air désagréable.

L'homme a attaqué Chloë pour prendre son sac, mais il est parti avec la femme quand j'ai crié. Il n'a pas pris le sac de Chloë, mais il a cassé sa montre. Moi aussi, j'ai cassé ma montre, mais je ne sais pas comment!

L'homme portait un pantalon gris avec un blouson noir, et la femme aussi. Il avait les cheveux bruns et très courts, et elle avait les cheveux noirs, frisés et assez longs.

Je ne peux pas parler à la police parce que . . . Beaugency . . . la fête . . . Imagine la réaction de mes parents!

3 Ecoute les dialogues **1–7**.
Ils correspondent à quels paragraphes de l'e-mail?

message X

You can work . . .
. . . the easier way with *AnneXe*
. . . the challenging way without!

4 **a** Regarde et écoute l'e-mail: concentre-toi bien.

b Cache l'e-mail et fais la Feuille **4**.

TOMMY MATTHEWS & SONS
SUPER
ROTOR
DISCO

Optional extras

Descriptions in the past
Using verbs accurately
Using verb tables

grammaire X

Making descriptions

- *Il / Elle + était / avait / portait* are useful for descriptions in the past:

Infinitive	*Past*	*Present*
être	Il **était** grand. He was tall.	Il **est** grand. He is tall.
	C'**était** cher. It was expensive.	C'**est** cher. It is expensive.
avoir	Il **avait** les yeux gris. He had grey eyes.	Il **a** les yeux gris. He has grey eyes.
	Il **avait** l'air bizarre. He looked strange.	Il **a** l'air bizarre. He looks strange.
	Il y avait un autobus. There was a bus.	**Il y a** un autobus. There is a bus.
porter	Il **portait** un jean. He was wearing jeans.	Il **porte** un jean. He wears/He is wearing jeans.

- You can also use:

J'étais . . .	J'avais . . .	Je portais . . .
Tu étais . . .	Tu avais . . .	Tu portais . . .

A toi!

a A deux, apprenez les exemples *Past* et *Present* de *grammaire X*.

b Ecoute **1–12** et écris ← (passé) ou ! (présent).

c Décris Monsieur Temporel oralement, puis par écrit:
– Avant, . . . (passé)
– Maintenant, . . . (présent)

grammaire X

2 Verb lists and verb tables

- *AnneXe* lists some verbs in full:
  - in the present (pp48–50)
  - in the perfect tense (pp52–54).
- *AnneXe* also has verb tables:
  - your teacher will tell you how to use them;
  - use them whenever necessary.

message X

Careful about the perfect tense:
- **1–10**: *avoir* verbs.
- **11–15**: *être* verbs.

A toi!

Scande (chant) les verbes **1–15** comme dans les photos.

1	lire Astérix	6	être malade	11	partir tôt
2	boire un coca	7	jouer au rugby	12	rester calme
3	finir mon e-mail	8	faire une pizza	13	sortir seul(e)
4	prendre des photos	9	écrire un e-mail	14	rentrer à pied
5	dormir dans le salon	10	ouvrir une fenêtre	15	aller chez un copain

Je suis sorti . . .
. . . je sors . . .
. . . je vais sortir!

grammaire X

3 Present tense: short cut

In the present tense:
- verbs with *je* end in *-e* or *-s* (exceptions: *j'ai – je peux – je veux*)
- verbs with *tu* end in *-s* (exceptions: *tu peux – tu veux*)
- verbs with *il/elle/on* end in *-e* or *-t* (exceptions: *il a – il va*)

Optional extras

Stocktake on the perfect tense
The perfect tense plural of *être* verbs

4 Quiz grammatical: vrai ou faux?

1. The perfect tense uses *avoir* with most verbs and *être* with a few.
2. *Joué* is the past participle of *jouer*.
3. *J'ai joué* means both 'I played' and 'I have played'.
4. *Je suis sorti* means both 'I went out' and 'I have gone out'.
5. Both *Je suis sorti* and *Je suis sortie* exist.
6. The past participle of *avoir* verbs is invariable.
7. The past participle of *être* verbs agrees like with adjectives.

grammaire

5 The perfect tense

So far, you have used the perfect tense mainly in the singular.
You want to use the plural? Look at these verbs and crack the code:

manger (*avoir* verb)	**partir (*être* verb)**
j'ai mangé	je suis parti (or partie)
tu as mangé	tu es parti (or partie)
il a mangé	il est parti
elle a mangé	elle est partie
on a mangé	on est parti (partis/parties tolerated)
nous avons mangé	nous sommes partis (or parties)
vous avez mangé	vous êtes parti (or partie/partis/parties)
ils ont mangé	ils sont partis
elles ont mangé	elles sont parties

Remember how to use the perfect tense of *avoir* and *être* verbs with *je*!
Learn the plural if you can!
Remember how to use it with *tu* and *il/elle*!
TOP PRIORITY
IN 2ND PLACE
AND FINALLY

6 **a** Lis cette histoire (story).

Son origine est un épisode des Simpson. Bart Simpson est mon héros!
THE SIMPSONS
FOREVER!

Bart Simpson, mon héros!

b Fais la Feuille 5.

C'est moi, Bart!

Au collège . . .

J'ai fait des devoirs? Pas souvent . . .
J'ai écouté en classe? Pas souvent . . .
J'ai appris la grammaire? Pas souvent . . .

Alors . . .

Je suis allé à un rendez-vous au collège.
J'ai écouté le directeur et les profs.
J'ai accepté . . . l'émigration temporaire!

Deux jours plus tard . . .

Je suis parti en France.
J'ai habité avec deux fermiers désagréables.
J'ai travaillé à la ferme pendant des heures!

Une semaine plus tard . . .

J'ai appelé la police.
Je suis rentré aux Etats-Unis.
Je suis retourné au collège pour mieux travailler.

More challenging activities

1 Prépare-toi à jouer le dialogue.

message X

- Practise reading part A aloud.
- Practise playing part B without notes.
- Useful references: *AnneXe* + dialogue p81.

A – Tu es sorti(e) samedi?

B – *(Went to town. Left at 2.00.)*

A – Comment?

B – *(Got the train. Arrived at station at 2.45.)*

A – Tu as déjeuné en ville?

B – *(Bought sandwich in a cafeteria.)*

A – Où?

B – *(Opposite the station.)*

A – Et après?

B – *(Bought a watch.)*

A – Pourquoi?

B – *(Broke my black watch.)*

A – C'est tout?

B – *(Saw cousin.)*

A – Ah oui? Il a changé?

B – *(Yes! Describe hair + clothes.)*

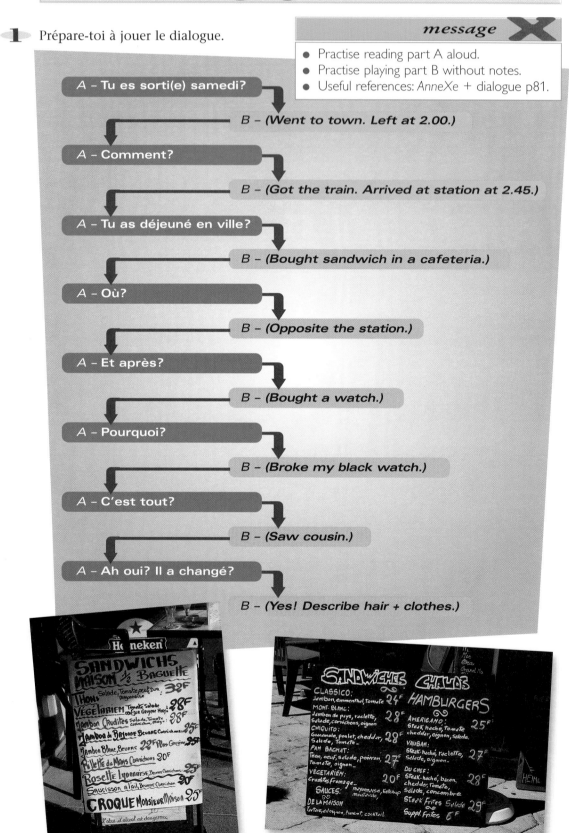

SANDWICHS MAISON ½ BAGUETTE
THON: Salade, Tomate, oeuf Dur, mayonnaise : 32F
VÉGÉTARIEN Tomate Salade oeuf Dur Gruyère Mayo : 28F
Jambon Crudités Salade, Tomate, Cornichon, Mayo : 28F
Jambon de Bayonne Beurre Cornichons : 25F
Jambon Blanc, Beurre 22F Plus Gruyère 25F
Rillette du Mans Cornichons 20F
Rosette Lyonnaise, Beurre Cornichons : 25F
Saucisson à l'ail, Beurre Cornichon 20F
CROQUE Monsieur Maison 25F
l'abus d'alcool est dangereux

SANDWICHES CHAUDS
CLASSICO: Jambon, emmenthal, Tomate 24F
MONT BLANC: Jambon de pays, raclette, Salade, cornichons, oignon 28F
CHIQUITO: Guacamole, poulet, cheddar, Salade, Tomate 28F
PAN BAGNAT: Thon, oeuf, salade, poivron, tomate, oignon 27F
VÉGETARIEN: Crudités Fromage 20F
SAUCES: mayonnaise, Ketchup moutarde,
DE LA MAISON Tartare, ail oignon, Piment, cocktail
HAMBURGERS
AMERICANO: Steak haché, tomate cheddar, oignon, salade. 25F
VAUBAN: Steak-haché, raclette, Salade, oignon 27F
DU CHEF: Steak-haché, bacon, chedder, Tomate, Salade, concombre 28F
Steak Frites Salade 29F
Suppl. Frites 6F

2 Complète l'e-mail à l'aide du scénario.

Salut!
Oui, j'ai passé un bon week-end, mais avec une petite aventure.

Scénario

- You went into town.
- Lunch with a friend (name?) in an Italian café.
- Got a bus with friend → fun fair (name the town).
- Saw a man who was looking ill (what time?).
- Man spoke with your friend → left with your friend's watch.
- You went to police station (with friend).
- Man: give physical description, including clothes.

3 Ecoute **1–6** et compare avec le scénario de l'activité **2**. Chaque section a une erreur: note l'erreur en anglais.

message **X**

Only write down the mistake, not what it should have said.

4 Trouve l'ordre chronologique des phrases **A–H**.

- Tu peux chercher trois mots dans le dictionnaire:

malheureusement **couteau** **blesser**

- C'est difficile? Découpe la Feuille **6**.

A Après le déjeuner, ils sont allés à l'hôpital pour voir Magyd, le cousin d'Abdel.

B Alors, Abdel est parti seul en ville, mais il a téléphoné sur son portable pour inviter une copine.

C Malheureusement, je n'ai pas pu sortir parce que j'étais malade.

D L'homme est parti quand Magyd a crié, mais il avait un couteau et il a blessé Magyd.

E Samedi matin, Abdel est venu chez moi pour m'inviter à aller en ville.

F En ville, il a déjeuné avec Nadia dans un fast-food devant la gare.

G Un soir, pendant les vacances, un homme a essayé de prendre son argent et sa montre.

H Je ne connais pas Magyd, mais je sais qu'il est à l'hôpital à cause d'une attaque assez violente.

CONCLUSION VIOLENTE: 1e partie

**Prosper Mérimée a écrit «Mateo Falcone» en 1829.
C'est violent et tragique et c'est en Corse, une île* française.**

C'est entre 1800 et 1825. En Corse, des criminels se cachent* quelquefois dans les montagnes pendant 20 ans ou plus. Des personnes de la région aident quelquefois les criminels.

Mateo Falcone était un fermier* respecté, mais aussi un ennemi dangereux. Par exemple, avant son mariage avec Giuseppa, il a tué* un rival. Pourquoi? Parce que l'honneur est important en Corse.

Un matin, Mateo est parti pour travailler. Fortunato, son fils de 10 ans, est resté seul à la maison. Après deux ou trois heures, Fortunato a entendu des fusils* et un criminel est arrivé:

– C'est la police! Je connais ton père. Aide-moi!

– Mais . . . je ne sais pas . . .

CONCLUSION VIOLENTE: devine!

a Lis A–F et devine: quelle est la conclusion exacte?

A Le criminel a tué Fortunato parce qu'il a refusé son aide.
B Mateo a tué Fortunato parce qu'il a aidé la police.
C La police a tué le criminel parce qu'il a refusé d'aller en prison.
D La police a tué Mateo parce qu'il a aidé le criminel.
E Fortunato a tué le criminel.
F Le criminel a tué deux policiers.

b Lis la page 91 pour vérifier.

Glossaire
une île = an island
se cacher = to hide
un fermier = a farmer
tuer = to kill
un fusil = a rifle

CONCLUSION VIOLENTE: 2e partie

Le criminel a dit:
– Aide-moi, s'il te plaît!
– Mmm . . . moi, j'aime les cadeaux . . .
– Euh . . . voici mon argent.
– D'accord, cachez-vous là!

Après cinq minutes, la police est arrivée.
– Bonjour, petit. Tu n'as pas vu un criminel?
– Un criminel? Euh . . . Non, non . . .
– Tu es sûr?
– Euh . . . oui, je suis sûr . . .
– Tu t'appelles comment?
– Fortunato. Je m'appelle Fortunato.
– Regarde ma montre: elle est jolie, non?
– Oh! Oui, c'est vrai!
– Tu veux ma montre?
Quelle tentation!
– Fortunato, où est le criminel?

Quand Mateo Falcone est rentré, il a vu l'homme avec la police, et il a vu Fortunato avec la montre.
– Maison de traîtres! a dit le criminel.
Le criminel est parti avec la police.
Mateo Falcone a regardé Fortunato et il a compris.
Il a dit:
– Viens avec moi, Fortunato.

Ils sont partis dans les montagnes. On a entendu un fusil, et Mateo est rentré seul.

GOLD
7
Apparences et réalité

Les apparences . . .

Describing routine activities
The present tense of new reflexive verbs with *je/tu*

1 Recopie et complète la grille à l'aide des dialogues **1–4**.

	1	2	3	4
Je me réveille	6h10			
Je me lève				
Je fais de l'exercice				
Je prends une douche			X	X
Je prends un bain	X	X		

2 Fais correspondre **1–10** avec les dessins à l'aide d'*AnneXe*.
Exemple Je me lève et je fais de l'exercice. → *1 BC*

A

B

C

D

E

F

G

H

I
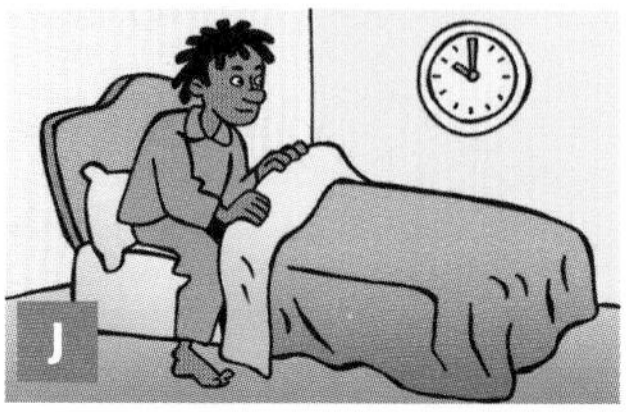
J

grammaire

Reflexive verbs

Do you remember what is different about reflexive verbs?
They use *Je me* . . . and *Tu te* . . . instead of just *Je* . . . and *Tu* . . .

3 Travaillez à deux avec les dessins de la page 92.
A doit choisir un dessin en secret → **B** doit deviner:

Tu te couches? *Non.* *Tu . . . ?*

4 Galia, star des médias, donne une interview pour la télévision.

a Lis et écoute l'interview: tu trouves Galia sympa ou non?

- **Galia, vous êtes superbe!**
- **C'est facile! Je me réveille à 5h, je me lève et je fais de l'exercice . . .**
- **A 5h!**
- **Oui, Je me couche tôt et je me réveille tôt. Après, je prends une douche avec du savon spécial . . .**
- **Spécial?**
- **Oui, je me lave avec du savon spécial. Et je me brosse les dents avec du dentifrice spécial aussi.**
- **Et . . . les cheveux?**
- **Je me lave les cheveux tous les jours!**
- **Vous travaillez beaucoup, non?**
- **Oui, mais je ne suis jamais fatiguée parce que j'ai trois secrets: je bois seulement de l'eau . . . je me repose après le déjeuner . . . et je prends un bain le soir.**

b Traduis **1–2** à l'aide de l'interview → devine la prononciation.

1 soap **2** toothpaste

c Ecoute l'interview . . . mais avec des différences.

Tu entends une différence? Lève le doigt

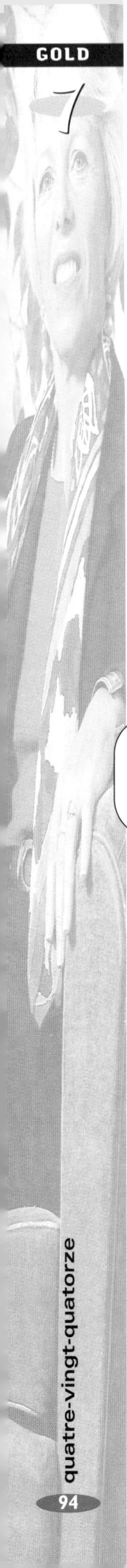

. . . et la réalité?

Describing routine activities
The present tense singular of reflexive verbs (consolidation)
Giving and seeking opinions

1 L'interview de Galia p93 . . .

. . . intéresse Maud.

. . . n'intéresse pas Sylvain et Benoît.

Traduis **1–8** en français à l'aide des bulles.

1	What do you think?	5	She doesn't do her hair
2	In my opinion	6	I agree
3	She gets dressed	7	I disagree
4	She does her hair	8	(Some) alcohol

A Elle est trop mince! Elle ne mange pas assez! Qu'est-ce que tu penses?
B Elle est sympathique? A mon avis, elle a l'air désagréable. Qu'est-ce que tu penses?
C Regarde ses vêtements: à mon avis, elle s'habille pendant des heures!
D Regarde ses cheveux! A mon avis, elle se coiffe pendant des heures. Ou elle ne se coiffe pas seule!
E Regarde ses yeux! A mon avis, elle met son maquillag[e] pendant des heures.
F Elle travaille beaucoup? Je suis d'accord, mais elle a l'air fatiguée!
G A mon avis, elle s'habille dans des magasins chers! Qu'est-ce que tu penses?
H Elle boit de l'eau? Je ne suis pas d'accord! A mon avis, elle boit de l'alcool!

2 **a** Regarde et écoute les bulles p94.

Tu es d'accord ou non?

b Entraîne-toi à bien prononcer les bulles.

grammaire

Reflexive verbs

Present singular:	Je **me** coiffe	Tu **te** coiffes	Il/Elle **se** coiffe
Exception:	Je **m'**habille	Tu **t'**habilles	Il/Elle **s'**habille
Négatif:	Je <u>ne</u> me coiffe <u>pas</u>. Je <u>ne</u> m'habille <u>pas</u>.		

3 Ecoute Sylvain qui parle de son frère, Laurent.

Prends des notes <u>en anglais</u> → décide si tu as beaucoup de points communs avec Laurent.

message

You can listen up to three times.
Don't write while listening (too difficult!).
Use your short-term memory instead.

Tu veux sortir avec mon frère? Oh non! C'est un idiot!
Laurent? Un idiot?

4 Et . . . comment est le frère de Maud? Regarde son portrait.
Ecris environ huit phrases pour donner ton opinion.
Utilise au maximum le vocabulaire des pages 92–95.

Stressé, moi?

Discussing family and other relationships
More reflexive verbs in the present tense singular
Using *avec* + *lui/elle/eux/elles*

1 **a** Ecoute **1–10**. Maud s'entend bien avec qui? Et mal avec qui?
Exemple 1 Je m'entends bien avec mon demi-frère. → *1 D*

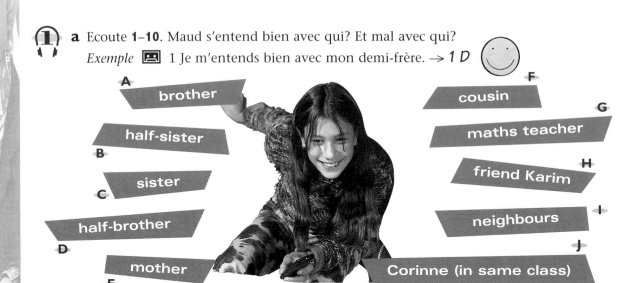

- **A** brother
- **B** half-sister
- **C** sister
- **D** half-brother
- **E** mother
- **F** cousin
- **G** maths teacher
- **H** friend Karim
- **I** neighbours
- **J** Corinne (in same class)

b Et toi? Ecris ta liste de 10 personnes, mais en français → donne ta liste à un ou une partenaire et travaillez à deux:

Tu t'entends bien avec ta sœur?

Non, je m'entends mal avec elle.

message X

- You can also use:
  Je m'entends **mieux** . . . (I get on better)
  Je m'entends **très bien** . . . (I get on very well) / **très mal** . . . (very badly)
  Je m'entends **assez bien** . . . (I get on quite well) / **assez mal** . . . (quite badly)
- To say 'with him/her/them': see *AnneXe* p15.

2 Et le fils de Galia? Il s'entend bien avec sa famille?
Lis **1–4**: vrai ou faux? Devine → vérifie dans l'article p97.

1. He gets on well with his mother.
2. He gets on better with his father.
3. He is lucky to have such a great family.
4. His mother is great both in the media and in real life.

Galia: la réalité!

Son fils parle en exclusivité!

«Je m'entends mal avec ma mère parce que je ne suis jamais d'accord avec elle. Elle est souvent désagréable à cause de son travail.»

«Mon père est sympa et je m'entends mieux avec lui, mais il se dispute souvent avec ma mère.»

«Quelquefois, quand mon père se dispute avec ma mère, je sors. Je vais dans la rue . . . dans le parc . . . ou je vais chez des copains.»

«Je m'entends bien avec mes grands-parents, mais ils habitent loin. Souvent, je parle avec eux au téléphone quand je suis stressé.»

«Le soir, quand je suis stressé à cause de mes parents, je me couche mais je ne peux pas dormir.»

«Ma mère? Ses douches avec son savon spécial . . . ses bains . . . ce n'est pas vrai. C'est de la publicité!»

«La réalité? Je m'entends mieux avec mon chien!»

3 Fais la Feuille 3.

4 Traduis **1–5** en anglais.

1 **Mon voisin s'entend assez mal avec sa famille.**

2 **Je ne m'entends jamais bien avec mes profs.**

3 **Mon chat s'entend toujours très mal avec le chien des voisins.**

4 **Est-ce que tu t'entends mieux avec ta famille ou avec tes copains?**

5 **Je m'entends mieux avec mon frère qu'avec ma sœur.**

Optional extras

Stocktake on seeking, giving and justifying opinions
Using reflexive verbs with negatives (present tense singular)

1 Sharing opinions

a Révision: tu comprends ces structures?

A ton avis, . . . ?
Est-ce que tu aimes . . . ?
Est-ce que tu aimes mieux . . . ou . . . ?
Est-ce que tu aimerais mieux . . . ou . . . ?
Qu'est-ce que tu penses?
Est-ce que tu t'entends bien avec . . .?
Comment est-ce que tu trouves . . . ?

J'aime bien . . .
J'aime assez . . .
J'aime beaucoup . . .
Je n'aime pas . . .
Je n'aime pas du tout . . .
J'aimerais mieux . . .
Je trouve ça . . .
J'ai trouvé ça . . .
Il/Elle a l'air . . .
Il/Elle avait l'air . . .
Je sais que . . .
Je suis sûr(e) que . . .
Je m'entends bien/mal/mieux avec . . .

C'est . . . (+ *adjectif*)
C'est assez . . .
C'est très . . .
C'est trop . . .
Ce n'est pas (assez) . . .
C'était . . .

. . . plus . . . que/qu' . . .
. . . moins . . . que/qu' . . .
. . . aussi . . . que/qu' . . .

A mon avis, . . .
. . . parce que/qu' . . .
. . . mais . . .
. . . par exemple quand . . .
. . . par exemple si . . .

b Fais la Feuille **4**.

c Ecoute les opinions **1–8** et trouve le thème (ou les thèmes):

A family
B school and studying
C clothes and fashion
D free time and leisure

② Les verbes pronominaux (reflexive verbs)

a Révise *grammaire X* p95.

b Fais correspondre **1–6** avec les dessins.

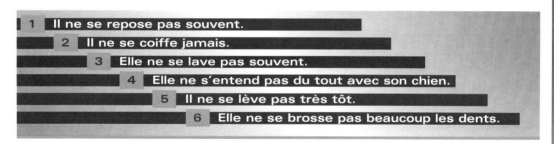

1 **Il ne se repose pas souvent.**
2 **Il ne se coiffe jamais.**
3 **Elle ne se lave pas souvent.**
4 **Elle ne s'entend pas du tout avec son chien.**
5 **Il ne se lève pas très tôt.**
6 **Elle ne se brosse pas beaucoup les dents.**

A
B
C
D
E
F

> ***grammaire* X**
>
> All six sentences use reflexive verbs in the negative.
> Word order: never split *me/te/se* from the verb.

c Ecoute et transcris les phrases **1–3**.
Note bien chaque mot, chaque accent, etc.

d Par écrit, invente cinq phrases négatives avec des verbes pronominaux.

> ***grammaire* X**
>
> Something else you can do with reflexive verbs:
> Tu te lèves, oui ou non! Tu te couches, oui ou non!

Optional extras

Using prepositions with *moi*, *toi*, etc.

grammaire

3 Avec moi . . . toi . . .

- You know:

avec moi	with me
avec toi	with you (singular, *tu* form)
avec lui	with him
avec elle	with her
avec nous	with us
avec vous	with you (plural or polite form)
avec eux	with them (masculine plural)
avec elles	with them (feminine plural)

Example:

Tu es toujours d'accord **avec lui**! You always agree with him!

- You can also use *moi, toi,* etc. with:

sans . . . (without)	pour . . . (for)
avant . . .(before)	après . . . (after)
sur . . . (on)	sous . . . (under)
devant . . . (in front of)	derrière . . . (behind)
en face de . . . (opposite)	à côté de . . . (next to)
près de . . . (near)	loin de . . . (far from)
chez . . . (at my/your/etc. house)	à cause de . . . (because of)

A toi!

Trouve et recopie la bonne bulle pour chaque dessin.
Complète-la avec *moi, toi,* etc.

1. Madame! Ce n'est pas pour [redacted], c'est pour [redacted]!
2. Marie ne regarde jamais devant [redacted] quand elle est dans la rue!
3. Attention! Le prof est derrière [redacted]!
4. Sans [redacted], je ne suis rien!
5. Va avec [redacted] si tu veux. Moi, je prends l'autobus!
6. Mais pourquoi est-ce que tu sors avec [redacted] ?!?
7. Oh, mes chats! Tu as mis tes livres sur [redacted]!
8. Je dois recommencer mes devoirs à cause de [redacted]!

A

B

C

D

F

E

HOMEWORK
HOMEWORK

G

H

More challenging activities

1 **a** Julie s'entend mieux avec qui? Regarde et écoute:

Euh . . . moi, je m'entends bien avec ma mère, ça va. Elle est sympathique, elle est toujours calme et elle est amusante. Euh . . . très amusante.

Mon père, mmm . . . je m'entends mal avec mon père parce qu'il travaille trop et il est toujours fatigué.

Euh . . . moi, quelquefois, je suis stressée parce que mon père se dispute avec ma mère. Euh . . . quand je suis stressée, je vais chez des copains, je vais au club des jeunes ou je vais à la cafétéria devant le collège.

Euh . . . je m'entends très, très bien avec mes deux grands-mères. Euh . . . oui, avec mes grands-mères, ça va. Je parle souvent avec elles au téléphone.

b Réécoute Julie, mais regarde <u>seulement</u> ces notes.
Trouve les trois différences.

Mère:  **(sympathique, amusante, patiente)**

Père:  **(travaille, fatigué)**

Moi: **stressée (dispute) → copains, centre sportif, cafétéria**

Grand-mères:  **(téléphone)**

c Imagine que tu es le fils ou la fille d'un couple célèbre de ton choix.
Tu t'entends bien avec tes parents et le reste de ta famille imaginaire?
Prépare des notes → entraîne-toi à parler à l'aide de tes notes.

2 Fais l'activité **A** <u>ou</u> l'activité **B** <u>ou</u> l'activité **C**.

Activité A

- **Ecris <u>deux</u> paragraphes au choix:**
  - **un paragraphe sur ta routine (voir pp92–93);**
  - **un paragraphe sur tes relations avec ta famille;**
  - **un paragraphe sur tes relations avec tes copains.**
- **Ecris au moins cinq lignes par paragraphe.**

Activité B

- **A deux, écrivez un sketch.**
- **Le thème: une dispute entre Galia (pp92–97) et son fils.**
- **Ecrivez au moins 15 lignes.**

Activité C

- **Choisis une célébrité (sport, musique, cinéma ou télévision).**
- **Ecris ton opinion sur la célébrité de ton choix.**
- **Ecris au moins huit phrases, par exemple dans des bulles.**
- **Tu veux des idées? Regarde p94 et regarde ce modèle:**

A mon avis, il ne se couche pas très tard le soir.
Regarde ses dents! A mon avis, il se brosse les dents 10 fois par jour.
A mon avis, il s'entend bien avec son père. Qu'est-ce que tu penses?
Tiger Woods

Mère française, père algérien

Stéphanie et Khader . . . Patrick et Thi-May . . . Catherine et Abdel . .

En France:

- 20% de mariages sont entre un Français et une personne d'origine différente.
- 60% des mariages mixtes sont avec une personne d'origine africaine.
- Chaque année, les couples mixtes ont 30 000 enfants.

Avec les enfants, on doit faire beaucoup de choix.

Quel prénom? Quelle religion? Quelle langue? Quelle culture?

Mais . . . quel riche univers!

FORUM-ADULTES

Moi, j'écoute les adultes mais je ne comprends pas. Est-ce qu'ils habitent sur une planète différente? Et mes parents? Ils n'écoutent jamais! Souvent, je préfère parler avec mes grands-parents.

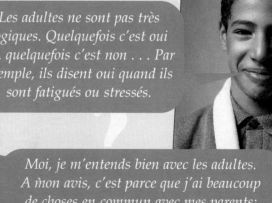

Les adultes ne sont pas très logiques. Quelquefois c'est oui . . . quelquefois c'est non . . . Par exemple, ils disent oui quand ils sont fatigués ou stressés.

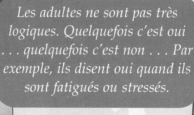

Moi, je m'entends bien avec les adultes. A mon avis, c'est parce que j'ai beaucoup de choses en commun avec mes parents: le sport, par exemple.

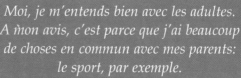

Sandwichs et hamburgers

- Les Français achètent de plus en plus de sandwichs: 615 millions par an, contre seulement 540 millions de hamburgers.
- Ils aiment les sandwichs britanniques, mais ils préfèrent les sandwichs français baguette-charcuterie. Ils commencent aussi à aimer les sandwichs plus variés: pain italien, sauce au curry, etc.
- Pour trouver plus de clients, les restaurants fast-foods varient les menus avec, par exemple, des sandwichs baguette-fromage.
- Et en Grande-Bretagne? On achète 2 milliards de sandwichs par an!

Cigarettes

En France, les filles fument plus que les garçons: 27% contre 21%. Le résultat: des publicités contre les cigarettes dans les magazines comme *Jeune et jolie*. Le thème des publicités: Adieu santé! Adieu beauté!

PAS DE RÉGIME-MIRACLE

Régimes salades, régimes fruits, régimes protéinés . . . attention: il n'y a pas de miracle. A long terme, on ne gagne jamais avec un régime. Les repas variés sont plus agréables. Le sport aussi est préférable. Pourquoi? Parce que, quand on fait du sport, on a plus d'énergie et . . . de jolis muscles. Mais attention: quand on fait trop de sport (aérobic, etc.), c'est quelquefois dangereux.

Le prof est en retard

Discussing reasons for being late
The perfect tense of reflexive verbs with *je*
Revision of *avoir* and *être* verbs with *je*

1 Traduis **1–9** à l'aide de la conversation.

1	en retard	A	*at last*
2	je me suis réveillé	B	*late*
3	à l'heure	C	*I got up*
4	grave	D	*I woke up*
5	je me suis arrêté	E	*serious*
6	je me suis levée	F	*to miss*
7	enfin	G	*I waited for*
8	j'ai attendu	H	*on time*
9	rater	I	*I stopped*

8h30 . . . 8h35 . . . 8h40! Le professeur de musique arrive en retard.

Prof – **Désolé! Je me suis réveillé à l'heure, mais . . .**
Elsa – **A l'heure? C'est vrai?**
Prof – **Oui, mais j'ai vu un accident et . . .**
Carl – **C'était grave?**
Prof – **Non, mais je me suis arrêté et j'ai attendu la police.**

Lise arrive dix minutes plus tard.

Elsa – **Lise, enfin! Il est 8h50!**
Lise – **Je me suis levée à l'heure, mais l'autobus était en retard.**
Carl – **Lise, à mon avis, tu as raté l'autobus!**
Elsa – **Lise, tu as vu l'accident?**
Lise – **Quel accident?**
Elsa – **En ville.**
Lise – **Un accident en ville?**
Carl – **Monsieur! Lise n'a pas vu l'accident!**
Elsa – **Mmm . . . bizarre . . .**

2 La conversation sur cassette/CD est différente de la page 106. Chaque ligne a un ou deux mots en plus (extra): note-les.

grammaire **X**

3

The perfect tense of reflexive verbs with *je*

- Do you remember about reflexive verbs? Discuss it with your teacher.
- In the perfect tense, this is what happens to reflexive verbs with *je*:

I woke up:	je me suis réveillé (or réveillé<u>e</u>)
I got up:	je me suis levé (or levé<u>e</u>)

  In other words, this is the same as for *être* verbs, but with *me* added.
- So now you know the full story about the perfect tense. There are:

– *avoir* verbs:	j'ai mangé – j'ai fini – j'ai attendu
– *être* verbs:	je suis sorti(e) – je suis arrivé(e)
– reflexive verbs:	je me suis reposé(e) – je me suis lavé(e)

A toi!

Mets les verbes **1–15** au passé composé avec «je».

1	acheter	6	voyager	11	se coucher
2	se coiffer	7	s'habiller	12	rester
3	venir	8	visiter	13	crier
4	rentrer	9	partir	14	se reposer
5	se disputer	10	attaquer	15	entrer

4 Le prof était en retard à cause d'un accident? Pas sûr . . . Ecoute les opinions **1–8** et prend des notes en anglais.

A mon avis . . .

Devine qui j'ai vu!

Working towards producing a quality narrative
The perfect tense singular of reflexive verbs

Le récit de Myriam

Je suis allée sur la place Flaubert pour faire les magasins. J'ai vu M. Vautrin qui avait l'air impatient. Il s'est retourné, mais je me suis cachée.

Mlle Brissard, la prof de dessin, est arrivée. Elle s'est disputée avec M. Vautrin, mais j'ai seulement compris M. Vautrin qui a dit: «Tu as vu l'heure! Tu t'es levée en retard?».

La prof de dessin est partie, elle a traversé la rue et elle a pris un autobus. M. Vautrin est resté seul sur la place: il avait l'air anxieux.

J'ai parlé avec ma copine Mélanie et son père connaît bien M. Vautrin. A son avis, M. Vautrin sort avec Mlle Brissard mais il veut aller en vacances avec des copains, alors Mlle Brissard est très stressée!

1 **a** Commence les paragraphes du récit (narrative) avec, au choix:

Après la dispute, . . .

Cet après-midi, . . .

Plus tard, . . .

Ce matin, . . .

b Recommence, à l'aide d'*AnneXe*, avec ces expressions:

Ensuite, . . .

Hier, . . .

Finalement, . . .

La semaine dernière, . . .

c Ecoute le récit pour vérifier.

2 Réponds aux questions **1–12** de la cassette/du CD.

Exemple 1 Qui est allé sur la place Flaubert pour faire les magasins?

grammaire

3

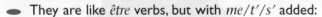

Reflexive verbs in the perfect tense singular

- They are like *être* verbs, but with *me/t'/s'* added:

je me suis levé(e)
tu t'es levé(e)
il s'est levé
elle s'est levée

A toi!

a En secret, sur la Feuille **1**, écris une heure pour chaque dessin.

b Pose des questions à un(e) partenaire et écris ses réponses.

Exemple

Tu t'es réveillé(e) à quelle heure?

Je me suis réveillé(e) à . . .

c Ecris les réponses de ton/ta partenaire par phrases complètes.

Exemple ***Il s'est réveillé à . . .*** (or: ***Elle s'est réveillée à . . .***)
Il . . . (or: ***Elle . . .***)

4 Relis le récit p108 et mémorise un maximum de détails.

Boulangerie
Pâtisserie

message

If your teacher removed some words, could you:
– put them back in from memory?
– spell them correctly?

Résultats scolaires

Reviewing your school work
Stating intentions (*Je devrais . . .*)

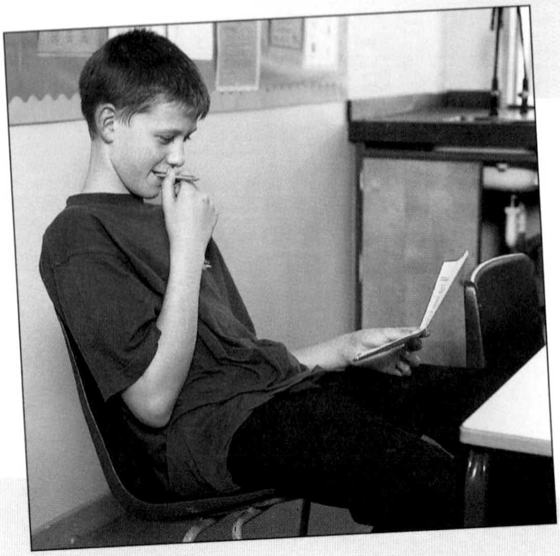

1 Lis l'auto-évaluation à l'aide d'*AnneXe*.

a A ton avis, Raphaël est sérieux ou non?

b Ecoute et transcris ses trois décisions à l'aide d'*AnneXe*.

Nom: Raphaël Dupré

Avril-mai 20 01

DÉCISIONS
~~**AUTO-ÉVALUATION**~~

Français	Je vais moins écouter en français.
Mathématiques	Je vais faire mes devoirs trop vite en maths.
Sciences	Je devrais mieux écouter, mais c'est trop ennuyeux.
Anglais	Je devrais faire un effort, mais pourquoi?
Espagnol	Je vais continuer à travailler lentement.
Histoire	Je vais être poli, mais seulement le lundi.
Géographie	Je vais oublier plus souvent de faire mes devoirs.
Informatique	Je vais écouter moins souvent en informatique.
Technologie	Je vais oublier de faire mes devoirs plus souvent.
Musique	Je vais travailler plus calmement . . . une fois par mois.
Dessin	Je devrais faire un effort en dessin . . . mais non!
Ed. physique	Je vais courir plus lentement en éducation physique.

Décisions

2 Il y a d'autres auto-évaluations sur la cassette/le CD.

a Ecoute **1–8** et lève le doigt à chaque expression d'*AnneXe*:

b Réécoute **1–8** et écris **D** ou **E**:

D = décision (↔ je vais . . . ; je devrais . . .)

E = évaluation (↔ au présent)

3 Ecoute chaque commentaire de Raphaël (p110)
→ change-le oralement en un commentaire constructif.

Exemple

Français: Je vais moins écouter en français.

Je vais plus écouter en français.

Je vais mieux écouter en français.

4 Et toi?
Ecris ton auto-évaluation.

Et moi, je vais corriger les devoirs moins souvent . . . je vais préparer mes cours trop vite . . .

message X

- Make the most of the language used by Raphaël (activities **1–2**).
- Other useful phrases:

  je dois . . .
  je veux . . .
  je pourrais . . .
  je trouve quelquefois . . .
  je vais essayer de . . . (+ inf.)
  je trouve difficile de . . . (+ inf.)
  j'essaie de . . . (+ inf.)
  je n'essaie pas toujours de . . . (+ inf.)
  je vais essayer de . . . (+ inf.)
  poser des questions

Optional extras

Verbs + infinitive
Understanding a wider range of adverbs ending in *-ment*

1 Verbes + infinitif (1)

a Trouve les paires.

1 Tu pourrais écouter.	A *I want to listen.*
2 Tu devrais écouter.	B *I must listen.*
3 Je vais écouter.	C *I'd like to listen.*
4 J'aimerais mieux écouter.	D *I should listen.*
5 Je veux écouter.	E *I can listen.*
6 Je voudrais écouter.	F *I could listen.*
7 Je devrais écouter.	G *You could listen.*
8 Je pourrais écouter.	H *I'd rather listen.*
9 Je dois écouter.	I *I am going to listen.*
10 Je peux écouter.	J *You should listen.*

b Cachez **A–J** et traduisez **1–10** oralement, à deux, de mémoire.

c Cachez **1–10** et traduisez **A–J** oralement, à deux, de mémoire.

message X

The verbs in **1–10** are very important because they are useful in all sorts of contexts. Keep practising!

Je suis capable d'écouter et je devrais écouter, mais j'aimerais mieux avoir un prof qui parle moins: c'est plus simple!

grammaire **X**

2 Les adverbes

- What are adverbs? ➡ *AnneXe* p42
- Many English adverbs are formed from adjectives, using *-ly*:

  calm → calmly
  slow → slowly

  Many French adverbs are formed from adjectives, using *-ment*:

  calme → calmement
  lent(e) → lentement

- Not all adverbs end in *-ly* in English:

  sometimes . . . late . . . often . . . too

  Not all adverbs end in *-ment* in French:

  tôt (early) . . . tard (late) . . . quelquefois (sometimes) . . . vite (quickly)
  souvent (often) . . . trop (too) . . . assez (fairly) . . . en retard (late)

A toi!

a Fais la Feuille **3A**.

b Complète les bulles avec des adverbes de la Feuille **3A**.

En classe, tu dois travailler plus ___________!
Il est très calme. Il travaille toujours très ___________!
Elle ne trouve pas le travail très facile. Elle comprend ___________.
Il aime le rugby, mais il joue trop ___________.
Elle comprend très ___________. Elle a toujours 10 sur 10!

Optional extras

Using reflexive verbs in the past, present and future (singular)
Verbs + infinitive
Decoding unfamiliar words through context and word formation

3 Se réveiller, se lever, etc.: présent et passé

a Quels verbes sont au présent? Et au passé?

A	je me suis levée	H	tu t'es habillé
B	il se lève	I	je me suis réveillée
C	je me réveille	J	il s'est levé
D	elle s'est disputée	K	tu t'es couché
E	tu t'habilles	L	je me lève
F	je me suis coiffée	M	je me coiffe
G	tu te couches	N	elle se dispute

b Ecoute les verbes **1–10** et écris la lettre (**A–J**).

Exemple 1 Tu t'habilles. → *1 E*

message X

Can you cope with past and present?

Reflexive verbs are easy to use to talk about the future:

Je vais **me lever**. – I am going to get up.
Tu vas **te laver**? – Are you going to have a wash?
Il va **se brosser** les dents – He's going to brush his teeth.
Elle va **se coucher** – She's going to go to bed.

Tu vas te coucher, oui ou non!

Tu vas te lever, oui ou non!
24
DEC

4 Verbes + infinitif (2)

a Traduis **1–8**.

1 Je vais arriver en retard.

2 Je suis arrivé en retard.

3 Je n'aime pas arriver en retard.

4 Je devrais arriver à l'heure.

5 Je dois arriver à l'heure.

6 Je voudrais arriver à l'heure.

7 Je vais arriver à l'heure.

8 Je veux arriver à l'heure.

Nous arrivons toujours en retard!

b Après les corrections, retraduis les phrases en français, de mémoire.

5 Familles de mots

a Trouve les traductions **1–10** à l'aide du contexte (phrases **A–J**).

1 **a hairdresser's**
2 **gravely**
3 **the sunset**
4 **an early riser**
5 **a hairdo**
6 **good manners**
7 **to clean with soap**
8 **a hiding place**
9 **lately; of late**
10 **the latecomers**

A Attention! Vous n'avez jamais appris **la politesse**?
B Je cherche **une cachette** pour mon argent.
C En vacances, j'adore regarder **le soleil couchant**.
D Mon père est **un lève-tôt** mais il se couche à 9h.
E Mes parents travaillent dans **un salon de coiffure**.
F Je veux voir **les retardaires** à 4h devant la salle des profs!
G Tu as du beurre sur ton pantalon? **Savonne-le**.
H Mon chien était **gravement** malade, mais ça va maintenant.
I **Dernièrement**, je suis arrivé au collège à l'heure tous les matins!
J Ma sœur a toujours **une coiffure** bizarre et un maquillage extravagant.

More challenging activities

1 Ils arrivent au travail en retard . . .
. . . et ils inventent des excuses.

a Lis **1–8** et devine: **A** ou **B**?

b Vérifie avec la cassette/le CD.

message X

Section **a** isn't just for fun: use **1–8** to rehearse in your mind the kind of words you might hear on the recording.

1	A	Had argument with daughter.
	B	Daughter ill.
2	A	Forgot watch at home.
	B	Watch stopped.
3	A	Had a problem with car.
	B	Train was late.
4	A	Saw an accident on way to work.
	B	Had an accident on way to work.
5	A	Had to wait for bus for 35 minutes.
	B	Got a bus at 7.35 but got the wrong one.
6	A	Forgot to feed the dog, so went back home.
	B	Found her dog in street, so took it back home.
7	A	Had to wait for his daughter.
	B	Had to help his daughter find schoolbag.
8	A	Had to walk. Son had small accident in her car.
	B	Having problems with her car.

2 Trouve l'ordre chronologique de la Feuille **4**.

message **X**

- Cut out the strips if you find it easier to work that way.
- **Vocabulary:**
  blessé = injured
  un bruit = a noise
  une buse = a buzzard

3 Lis le récit (narrative) et mémorise un maximum de détails.

Objectif:

répondre oralement aux questions de ton professeur.

Normalement, je me lève à 7h30 et le collège commence à 9h. Le jeudi, je me lève à 6h30 parce que le collège commence plus tôt.

Hier, c'était jeudi mais j'ai oublié! Je me suis levé à 7h30 et j'ai quitté la maison à 8h30, alors j'ai raté les maths.

A la cantine, je me suis disputé avec un prof parce que j'ai refusé de sortir après mon déjeuner. Je préfère rester à la cantine quand il fait froid, mais on doit sortir.

Finalement, je suis sorti, mais je me suis caché dans les toilettes avec trois copains. On a joué aux cartes, mais ce n'était pas très agréable.

L'après-midi, je n'avais pas mon cahier d'histoire mais le professeur était absent. Un vrai miracle!

4 Complète la Feuille **5B** à l'aide du scénario:

Scénario

- **Got up on time – Left home before 8.00 – Missed bus (↔ stopped at cake shop).**
- **Waited for another bus (20mins) – Saw accident (car + bicycle).**
- **Bus arrived – Waited for police – Next, went to school with police (↔ late) – Arrived at 9.40 – Hid in toilets until 10.00 (doesn't like art).**

Collèges français et anglais

Interview avec des élèves* bilingues.

Qu'est-ce que les Anglais ont préféré en France?

- Pas d'uniforme
- La cantine
- Pas de collège le mercredi

Qu'est-ce qu'ils n'ont pas aimé?

- Finir à 4h30 ou 5h00
- Trop de devoirs
- Trop à apprendre par cœur

Qu'est-ce que les Français ont préféré en Angleterre?

- Le sport
- Le travail plus facile
- Finir à 3h30

Qu'est-ce qu'ils n'ont pas aimé?

- Les devoirs trop vagues
- Les classes de 30 personnes ou plus
- Les classes trop bruyantes

Délégué* de classe

Dans les collèges français, chaque classe choisit un délégué qui représente la classe. Quand il y a un problème, par exemple, le délégué (ou la déléguée) peut discuter avec les professeurs. Le délégué va aussi aux réunions* de professeurs avant les bulletins scolaires*. Pour choisir un délégué, chaque classe doit voter.

Glossaire

un élève = a pupil
un délégué = a representative
une réunion = a meeting
un bulletin scolaire = a school report

On choisit un délégué

Aujourd'hui, dans ma classe, on va choisir un délégué. Sérieux, sérieux, sérieux!

Idriss est candidat, je sais! Robin est candidat, je sais! Mais . . . ah . . . David aussi. Et Paulo, l'idiot qui oublie toujours ses devoirs. Sa mère a des ambitions pour Paulo!

Mais les filles? Je dis:

-- Les filles, on voudrait une candidate! Elsa, tu es d'accord?

-- Et ta sœur! répond Elsa.

Non, non, je n'ai pas de sœur. «Et ta sœur!» est une insulte. Merci, Elsa!

Le professeur, Monsieur Chazot, a décrit le rôle du délégué de classe. Maintenant, on va voter. Oui, oui, un vote par personne . . . ça va, on comprend!

-- Paulo, tête* d'idiot!

-- Silence, Chadrasse! dit le professeur.

-- Idriss, tête de rat!

-- Ça ne rime pas, imbécile! répond Idriss.

-- Robin, tête de lapin!

-- Toi aussi, tête de lapin!

Et David? Bof, on n'insulte pas David. Il est trop nul!

Le prof donne du papier*! J'écris un nom sur mon petit papier, mon voisin écrit un nom sur son petit papier, trente-deux noms sur trente-deux petits papiers. Ah non, il y a des absents. Bercy, par exemple: il est toujours absent!

-- Qui veut ramasser* les papiers? demande le prof.

-- Moi, monsieur!

-- Moi, monsieur!

Et le résultat de l'élection? Bof, ça n'intéresse personne*!

Glossaire

une tête = a head; a face
du papier = paper
ramasser = to collect
ne … personne = doesn't … anybody

teXto

A table!

Staying with a family: having dinner
Recycling familiar language in a new context

1 Recopie et complète l'introduction.

Fatou habite au [redacted], un pays en Afrique.
Elle a une [redacted] française qui s'appelle Noémie.
Maintenant, elle est en France avec sa [redacted].
Elle passe deux [redacted] chez Noémie et sa famille.
C'est son premier échange, mais sa [redacted] visite en France.

classe
correspondante
deuxième
semaines
Sénégal

2 **a** Ecoute la conversation.
b Regarde *AnneXe* pour mieux comprendre.
c Réponds aux questions de ton professeur.

1

Mme Dupré – **Francis, tu peux mettre la table?**
M. Dupré – **D'accord.**

2

M. Dupré – **Il y a du vin? De la bière?**
Mme Dupré – **Du vin, non. De la bière . . . je ne suis pas sûre.**

3

Fatou – **Je voudrais des légumes, s'il vous plaît.**
Noémie – **Tu aimes les légumes? Pas moi!**

4

Mme Dupré – **Fatou, tu veux encore de la viande?**
Fatou – **Non, merci.**

5

Noémie – **Maman, je voudrais le dessert, s'il te plaît.**
Fatou – **Moi aussi, s'il vous plaît.**

6

Fatou – **Je peux débarrasser la table?**
M. Dupré – **Merci, c'est sympa!**

3 Entraîne-toi à répondre à ces questions oralement.

Tu préfères. . .
1 . . . les légumes ou les desserts?
2 . . . les boissons chaudes ou les boissons froides?
3 . . . la viande ou le poisson?
4 . . . la viande ou les légumes?
5 . . . les frites ou les légumes verts?
6 . . . mettre la table ou débarrasser la table?

Je préfère . . .

4 Pour chaque question, trouve la réponse idiote.

1 *Il y a encore du vin?*

a Oui, dans la cuisine.
b Je ne sais pas. Regarde.
c Seulement le mardi soir.
d Non. Je vais aller au supermarché demain.

2 *Tu veux encore des légumes?*

a Désolée, je n'aime pas beaucoup ça.
b Non, ça va, merci.
c Oui, pourquoi pas?
d D'accord, mais après le dessert.

3 *Tu peux mettre la table?*

a Une minute, j'arrive!
b La table? Elle est dans la salle à manger.
c Oh, c'est toujours moi! Pourquoi?
d Maintenant? On mange tôt aujourd'hui!

4 *Je peux débarrasser la table?*

a Non, je n'ai pas faim ce soir.
b Une minute, je finis mon dessert.
c D'accord, on a fini.
d Merci, c'est sympa!

5 En groupe, entraînez-vous à lire la conversation p120.
Si possible, mémorise ton rôle.

Le premier soir

Staying with a family (domestic matters)
Listening at greater length

1 Réponds «vrai» ou «faux» à l'aide du dialogue et d'*AnneXe*.

1. Fatou has toothpaste but no toothbrush.
2. She borrows a towel and shampoo.
3. She asks Noémie for a hairdryer.
4. Both girls have a *Walkman*.
5. Fatou wants to phone now.
6. She will have to buy a phone card.
7. Fatou would like to e-mail her parents.

Fatou – **J'ai mon dentifrice . . . ma brosse à dents . . .**

Noémie – **Voilà une serviette.**

Fatou – **Zut, du shampooing! Je n'ai pas de shampooing.**

Noémie – **Regarde dans la salle de bains.**

Fatou – **Et . . . un sèche-cheveux?**

Noémie – **Euh . . . regarde dans le placard.**

(. . .)

Fatou – **Ah, tu as un *Walkman*! Comment est-ce qu'il marche?**

Noémie – **Pour allumer, c'est comme ça . . .**

Fatou – **Oui . . .**

Noémie – **Et pour éteindre, c'est comme ça.**

Fatou – **Je peux acheter une télécarte demain?**

Noémie – **Tu peux téléphoner ici.**

Fatou – **Ah, merci!**

Noémie – **Et regarde, j'ai un portable.**

Fatou – **Ah, d'accord! Est-ce que je peux envoyer un e-mail à mes parents?**

2 **a** Ecoute le dialogue p122.

Tu entends une petite différence? Lève le doigt!

b A deux, lisez le dialogue à l'aide de la Feuille 3.

> ***message X***
>
> At first use p122 for support.
> After a while, try to work without support.

3 **a** En anglais, explique la différence entre:

a du dentifrice **b** le dentifrice **c** mon dentifrice

b Invente au moins six phrases avec le mot «dentifrice».

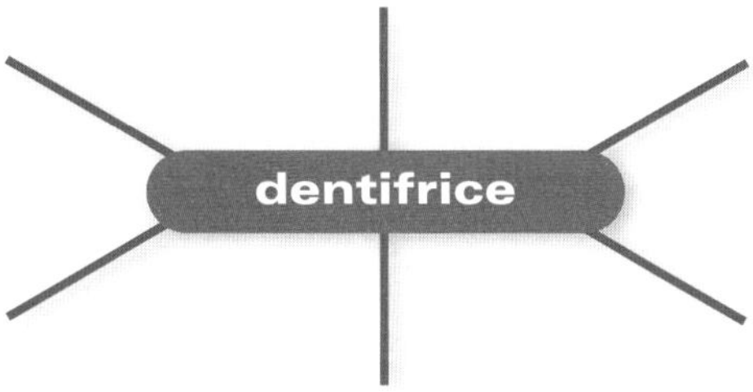
dentifrice

4 Recopie et complète la grille en anglais, à l'aide du dialogue entre Youssou et Raphaël.

	Youssou has . . .	Youssou doesn't have . . .
1		
2		
3		

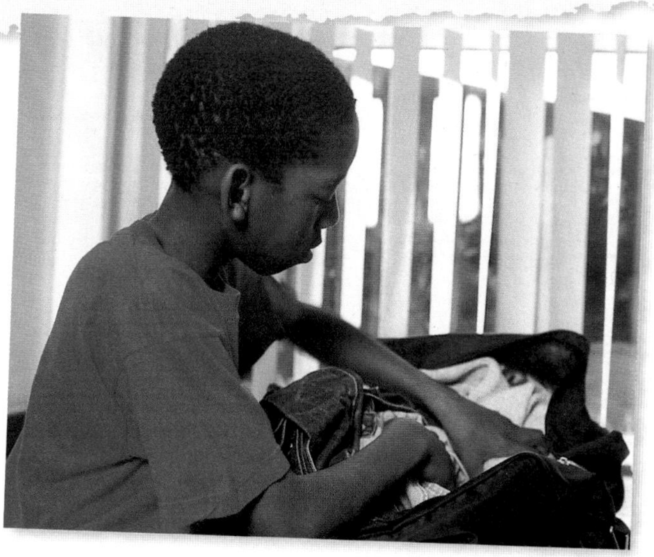

Quel temps!

Discussing the weather forecast
Using context as an aid to understanding
Learning longer passages by heart

1 Lis l'e-mail et traduis **1–10** à l'aide du contexte.

1	I find that . . .
2	broke
3	a tree
4	injured
5	the weather forecast
6	it's going to be hot
7	it's going to be foggy
8	it's going to rain
9	it isn't going to snow
10	it isn't going to freeze

J'aime la France et Noémie est très sympa. Je vais au collège avec elle tous les jours. Pendant le week-end, je suis sortie avec elle et avec ses parents: ils sont très amusants.

J'ai seulement un problème: le temps! Il fait très mauvais. Tous les matins, il fait froid, il pleut et il fait du vent. En juin, je trouve ça bizarre. C'est peut-être parce qu'il y a des montagnes dans la région.

Hier, le vent a cassé un arbre dans le jardin. En plus, l'arbre a blessé le chien de Noémie. Maintenant, il ne veut pas sortir.

La météo est mauvaise pour la semaine prochaine: il va faire chaud, mais il va y avoir du brouillard le matin et il va pleuvoir la nuit. Heureusement, il ne va pas neiger et il ne va pas geler!

Grosses bises,
Fatou

2 A deux, entraînez-vous à répondre à **1–10** à l'aide de l'e-mail p124. Répondez par phrases complètes.

Exemple

– *Est-ce que Fatou trouve Noémie ennuyeuse?*

– *Non, elle trouve Noémie sympa.*

1. Est-ce que Fatou trouve Noémie ennuyeuse?
2. Est-ce que Fatou aime le temps en France?
3. Est-ce que Fatou est sortie pendant la semaine?
4. Est-ce que Fatou trouve les parents de Noémie embêtants?
5. Est-ce qu'il fait beau?
6. Est-ce qu'il fait froid tous les soirs?
7. Est-ce qu'il y a la mer dans la région?
8. Est-ce que le vent a cassé un vélo dans le jardin?
9. Est-ce qu'un arbre a blessé Noémie?
10. Est-ce qu'il va faire froid la semaine prochaine?

3 Ecoute le temps (**1–12**) et écris **P** (= présent) ou **F** (= futur).

Exemple

1 Il va faire mauvais. *1F*

4 Par écrit, invente la météo pour trois jours ou plus.

grammaire

Le temps: présent et futur

Présent	**Futur**
Il fait (beau, etc.)	Il va faire . . .
Il y a du brouillard	Il va faire . . .
Il pleut	Il va pleuvoir

5 Fais la Feuille **4**.

Optional extras

Looking up English nouns in a dictionary
Recognizing difficult sounds in listening
Coping with recycled language in a new context (reading)

1 Dictionnaire et prononciation

a Traduis **1–10** à l'aide d'un dictionnaire.

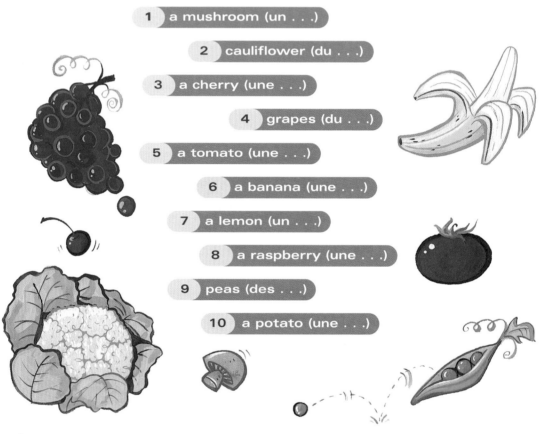

1 a mushroom (un . . .)
2 cauliflower (du . . .)
3 a cherry (une . . .)
4 grapes (du . . .)
5 a tomato (une . . .)
6 a banana (une . . .)
7 a lemon (un . . .)
8 a raspberry (une . . .)
9 peas (des . . .)
10 a potato (une . . .)

b Devine comment prononcer **1–10** (section **a**).

2 Bien écouter les sons

Ecoute les mots.
Ton professeur va faire trois groupes: **A**, **B** et **C**.

– **A**: lève le doigt quand tu entends le son *-an-* (<-> *dans, souvent*)
– **B**: lève le doigt quand tu entends le son *-in-* (<-> *cinq, copains*)
– **C**: lève le doigt quand tu entends le son *-on-* (<-> *onze, savon*).

message X

All the words you are going to hear are foods and drinks.

3 Dictionnaire et définitions

Lis les définitions **1–8** et trouve le fruit, le légume ou la boisson.
Pas sûr? Cherche les mots **en caractères gras** dans un dictionnaire.

1 C'est un fruit rouge qui se mange seul ou, par exemple, dans les yaourts ou dans les glaces. C'est un nom féminin en six lettres.

2 C'est un légume **dur**, orange, assez mince et assez long. Il a beaucoup de vitamine C.

3 C'est un légume blanc, un peu rond, qui fait seulement quelques grammes. Il est utile, par exemple, pour les pizzas. C'est un nom masculin en dix lettres.

4 C'est un légume un peu jaune, avec une **peau** jaune, marron ou un peu rouge. Avec ce légume, on fait des frites et de la **purée**.

5 C'est un fruit originaire d'Afrique, par exemple. Il fait entre 15cm et 20cm, il est jaune et il ressemble à un croissant de **lune**.

6 Scientifiquement, c'est un fruit, mais il est toujours au rayon légumes dans les supermarchés. Il est rouge et rond et il n'est pas dur. Il est utile, par exemple, pour les pizzas et pour les sauces à spaghettis.

7 C'est une boisson. C'est «rouge» ou «blanc» mais, en réalité, ce n'est jamais blanc: c'est jaune. On fait cette boisson avec un fruit. C'est une boisson alcoolique.

8 C'est une boisson marron qui n'est pas alcoolique. Il y a beaucoup de sucre et il y a des bulles. Ce n'est pas une boisson très naturelle: il y a des produits **chimiques**.

Optional extras

Using the correct article: revision
Revision of verb forms useful for all topics

grammaire

4 **Quel article?**

Getting small words right matters a lot: articles, for example.
Reminder:

Du/de la/de l'/des = some
Je voudrais du café.

De = (not) any
Il n'y a pas de café.

Le/la/l'/les = the
Le café est froid.

Le/la/l'/les are also used instead of du/de la/de l'/des with verbs of opinion:
J'aime le café.
Je n'aime pas le thé.
Je trouve la viande assez bonne.

A toi!

Recopie **1–10** correctement.
Attention: **1**, **7** et **9** ont deux réponses possibles.

1 Tu veux **du/le/de** coca?

2 Il n'y a pas **du/de/le** coca.

3 Elle n'aime pas **du/de/le** coca.

4 Il ne boit pas **du/de/le** coca.

5 Tu aimes **de la/la/de** limonade?

6 Il boit souvent **de la/la/de** limonade.

7 Je cherche **de la/la/de** limonade.

8 Je ne veux pas **de la/la/de** limonade.

9 Je ne trouve pas **du/de/le** café.

10 Je préfère **thé/de thé/du thé**.

5 Trouve les traductions.
Méthode: voir l'activité **1** p112.

1 Je peux débarrasser la table?
2 Tu peux débarrasser la table?
3 Tu veux débarrasser la table?
4 Tu dois débarrasser la table.
5 Je sais débarrasser la table.
6 Je dois débarrasser la table.
7 Je vais peut-être débarrasser la table.
8 Je ne débarrasse jamais la table.
9 J'ai débarrassé la table.
10 Je n'ai pas débarrassé la table.
11 Je n'ai jamais débarrassé la table.
12 Je n'ai pas pu débarrasser la table.

A *I must clear the table.*
B *You must clear the table.*
C *I haven't cleared the table.*
D *I know how to clear the table.*
E *Can you clear the table?*
F *I wasn't able to clear the table.*
G *Can I clear the table?*
H *I never clear the table.*
I *I have never cleared the table.*
J *Do you want to clear the table?*
K *I have cleared the table.*
L *Perhaps I'll clear the table.*

More challenging activities

1 Imagine: Tu fais un échange avec la France.
C'est ton premier soir chez ton correspondant.
Ecris un dialogue de 15 lignes minimum.

message X

- Use at least two of these:
  - the past (perfect tense; and *c'était . . .* ; *il y avait . . .*)
  - the present
  - the future (*aller* + inf.)
- You can, for example, write two scenes. Suggestions:
  - conversation over dinner about you and your journey to France;
  - conversation as your penfriend shows you the house;
  - your penfriend describing plans for tomorrow (for example: school, lunch at canteen, going out in the evening).

2 Youssou, qui est sénégalais, est chez son correspondant Raphaël. Ecoute le dialogue et fais la Feuille **6**: réponds en anglais.

3 Imagine: tu as fait un échange avec la France.
Objectif: répondre aux questions sans notes (deux ou trois détails par réponse):

- **Comment est ton correspondant/sa famille/sa maison?**
- **Tu as bien mangé en France?**
- **Il a fait beau?**
- **Qu'est-ce que tu as fait le soir/le week-end?**
- **Qu'est-ce que tu vas faire avec ton correspondant pendant sa visite ici?**

4 Dominique décrit son échange avec la Grande-Bretagne.

a Traduis **1–5** à l'aide du texte.

1 potatoes 2 to order 3 an employee

4 engaged 5 by motorbike

b Les thèmes **1–8** sont dans le texte? Ecris *oui* ou *non*.

1	**l'heure des repas:** ___________
2	**le nombre de repas:** ___________
3	**la rapidité des repas:** ___________
4	**si on mange de la viande ou non:** ___________
5	**l'architecture des maisons:** ___________
6	**le nombre de chambres:** ___________
7	**les pièces où on mange:** ___________
8	**les programmes-télé:** ___________

En Grande-Bretagne, les repas sont différents. Par exemple, chez mon correspondant, on mange plus vite. En plus, avec la viande, il y a toujours des pommes de terre et un ou deux légumes (en France, il y a des pommes de terre ou un légume). Une troisième différence: il y a beaucoup plus de végétariens en Grande-Bretagne.

Le vendredi soir, le père de mon correspondant téléphone pour commander un repas dans un restaurant chinois ou indien. Vingt minutes plus tard, il va au restaurant pour chercher le repas. On peut aussi commander des pizzas par téléphone, et un employé arrive avec les pizzas en voiture ou en moto. Ça existe en France, mais c'est plus rare. En plus, en Grande-Bretagne, on peut acheter du poisson et des frites chauds.

Les maisons aussi sont différentes. Chez mon correspondant, les toilettes sont dans la salle de bains: ce n'est pas idéal quand la salle de bains est occupée! En plus, la salle de bains et toutes les chambres sont en haut. En France, la salle de bains est souvent en bas et il y a une chambre en bas. Une troisième différence: en Grande-Bretagne, on mange rarement dans la cuisine: on préfère manger dans la salle à manger ou dans le salon, quand on regarde la télévision.

Le Sénégal et Dakar

J'habite en Afrique, au Sénégal, avec mes parents, ma sœur et mes trois frères. J'ai aussi des cousins qui habitent à Paris. A 18 ans, j'aimerais aller à l'université à Paris. Après, j'aimerais travailler au Sénégal. Il y a beaucoup de chômage, mais j'aimerais trouver du travail dans le tourisme parce que c'est une activité importante au Sénégal.*

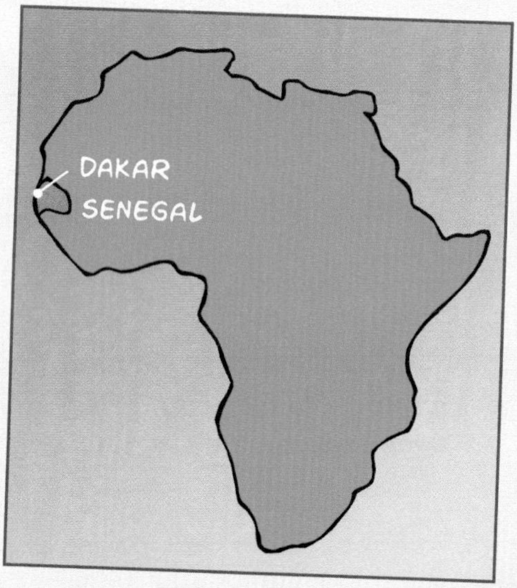
DAKAR
SENEGAL

Il y a beaucoup d'immigrés sénégalais en France. Pourquoi? Parce que le Sénégal était une colonie française. En Afrique, la Grande-Bretagne a colonisé des régions du centre et du sud. La France a colonisé des régions du nord (Algérie, Maroc, Tunisie) et de l'ouest (la Mauritanie, la Côte d'Ivoire, etc.).

Le Sénégal est dans l'ouest de l'Afrique. Dakar, la capitale, est sur la côte. Il y a des plages superbes à deux kilomètres de chez moi, et il y a des hôtels très modernes pour les touristes.

Glossaire
le chômage = unemployment

Dakar est la capitale. C'est aussi un grand port pour la pêche et les exportations, par exemple les exportations d'arachides*. En plus, il y a un marché au poisson très populaire qui s'appelle Soumbedioune: il y a une variété sensationnelle de poissons différents.

A Dakar, il fait très chaud parce que le climat est tropical, et il pleut beaucoup entre juin et octobre. Dans d'autres régions du Sénégal, il y a un climat saharien: il pleut très rarement. Au Sénégal, il ne neige jamais et il ne gèle jamais: j'ai seulement vu de la neige à la télévision!

adidas

Au Sénégal, on parle français: c'est la langue officielle. En plus, je parle quelquefois wolof: c'est une langue africaine. Quelquefois, j'ai des conversations un peu en wolof et un peu en français.

Glossaire

des arachides = peanuts

Sabrina . . . et Yazid?

Using everyday conversational language
Discussing boyfriends and girlfriends
Using context and other clues in reading
Using new language in a variety of contexts

1 Sabrina voudrait sortir avec Yazid.
Lis le dialogue: est-ce qu'Elodie va aider Sabrina?

A Oui, parce qu'elle trouve ça drôle.

B Oui, mais elle a des doutes.

C Non, parce qu'elle n'aime pas Yazid.

D Non, parce qu'elle voudrait sortir avec Yazid.

Sabrina – **Elodie, tu connais Yazid?**

Elodie – **Yazid? Oui, je connais Yazid. Pourquoi?**

Sabrina – **Je voudrais sortir avec lui.**

Elodie – **Excuse-moi, mais . . . il sort avec Pénélope, non?**

Sabrina – **Et alors? Il est génial! Il est sympa . . .**

Elodie – **Oui, il est sympa, mais je t'assure! Avec Pénélope . . .**

Sabrina – **Avec Pénélope, ce n'est pas sérieux!**

Elodie – **Ecoute, si tu veux, je peux parler avec lui . . .**

Sabrina – **Oh, merci! C'est cool!**

Elodie – **Il est peut-être à la cantine. Salut!**

Sabrina – **Attends-moi!**

Elodie – **Mais non! Reste ici!**

2 Relis le dialogue p134 et traduis les expressions <u>soulignées</u> à l'aide du contexte:

maybe he is. . .	excuse me	honest!	if you want
wait for me	it's cool	serious	so what?

3 **a** Regarde et écoute le dialogue (activité **1**).
Après chaque pause, répète les expressions <u>soulignées</u>.

b Entraînez-vous oralement, à deux, avec la Feuille **1**.
Objectif: jouer le dialogue sans le support de la page 134.

message X

Feuille 1: use Version A or Version B. Version A is identical to the dialogue p134. Version B is about a boy wanting to go out with a girl instead.

4 **a** Complète **1–8** avec des expressions d'*AnneXe*.

1. Tu vas au collège? [redacted], j'arrive!
2. Je peux regarder tes devoirs? Merci, [redacted]!
3. [redacted], on peut sortir ce soir.
4. Où est le prof? [redacted] malade.
5. [redacted], monsieur, quelle heure est-il?
6. Tu sors avec deux filles? Ce n'est pas [redacted]!
7. Julien, Thomas, moins vite! [redacted]!
8. C'est vrai, [redacted]! Avec Mélanie, c'est sérieux!

b Ecoute la cassette/le CD pour vérifier.

Arrête, tu es pénible!

Using everyday conversational language
Discussing boyfriends and girlfriends
Using context and other clues in reading
Giving longer answers in speaking and in writing

Elodie – Salut, Yazid. Tu n'es pas avec Pénélope?

Yazid – Non, avec Pénélope, c'est fini.

Elodie – <u>Ah bon</u>? C'est fini?

Yazid – Oui. Elle était <u>pénible</u>, tu sais!

Elodie – <u>Ah, d'accord</u> . . .

Yazid – Et toi, tu as un copain <u>en ce moment</u>? Tu sors avec <u>quelqu'un</u>?

Elodie – Bof, <u>l'autre jour</u>, je suis sortie avec Baptiste, mais . . .

Yazid – Elodie, <u>je voudrais sortir avec toi</u>.

Elodie – <u>Quoi</u>?

Yazid – Pourquoi pas?

Elodie – <u>Arrête</u>!

Yazid – Je t'assure, je suis sérieux!

Elodie – Mais non . . . Euh . . . tu connais Sabrina?

Yazid – Oui, pourquoi?

Elodie – Elle voudrait . . .

Yazid – Elle aussi, elle est pénible!

Elodie – Sabrina? Non! Elle est sympa, tu sais . . .

Yazid – Elodie, tu sors avec moi ce soir?

1 **a** Révision: traduis **1–4**.

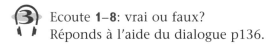

1 sortir | 2 je suis sortie | 3 je sors | 4 je voudrais sortir

b Réponds aux deux questions à l'aide du dialogue p136.

1 Est-ce que Yazid sort avec une fille en ce moment?

2 Il voudrait sortir avec qui?

2 Regarde et écoute le dialogue p136.
A chaque pause, essaie de traduire les mots soulignés.

message X

In order to make valid guesses, pay attention to:
– the context;
– resemblance with English words;
– the emotions contained in the voices.

3 Ecoute **1–8**: vrai ou faux?
Réponds à l'aide du dialogue p136.

4 **a** A deux ou plus, inventez des réponses orales aux questions **1–5**.

message X

Practise giving at least three different answers to each question.
Avoid giving very short answers.

1 Salut! Tu n'es pas avec Julien/Julie?

2 C'est fini avec Julien/Julie?

3 Tu as un copain/une copine en ce moment?

4 Avec qui est-ce que tu voudrais sortir? (+ raisons)

5 Stéphane/Stéphanie voudrait sortir avec toi. Tu es d'accord?

b Maintenant, réponds aux questions **1–5** (section **a**) par écrit.
Ecris au moins huit mots par réponse.

5 Ecris au moins six lignes pour finir le dialogue p136.

Ça ne m'intéresse pas!

Using everyday conversational language
Discussing boyfriends and girlfriends
Coping with new language in wider contexts

Yazid – Alors, tu sors avec moi?

Elodie – Oh, arrête!

Yazid – Ou demain soir, si tu préfères.

Elodie – Yazid, ça suffit! . . .

Yazid – J'ai deviné, tu sais. C'est Sabrina.

Elodie – Ben . . . oui. Elle voudrait sortir avec toi.

Yazid – Ça ne m'intéresse pas! Alors, toi et moi?

Elodie – Ecoute, Sabrina est ma copine, tu sais . . .

Yazid – Ah! Elle bavarde tout le temps.

Elodie – Elle aime parler, c'est tout.

Yazid – Et en plus, elle fume. C'est dégoûtant!

Elodie – Ah, Yazid, tu n'es pas sympa.

Yazid – Allez! Sors avec moi ce soir! Ou une autre fois . . .

Elodie – Arrête, tu es pénible . . .

Yazid – Tu aimerais mieux sortir avec un autre garçon?

Elodie – Mais non . . . Ecoute, si tu veux, on pourrait . . .

Yazid – Et en plus, Sabrina est bête!

Elodie – Quoi? Ça suffit! Excuse-moi, mais . . . pour sortir avec toi, c'est non! J'aimerais mieux sortir avec un rat!

1 **a** Traduis **1–9**, seulement à l'aide du dialogue p138.

1 so, . . .
2 that's enough!
3 I am not interested
4 all the time
5 she smokes
6 disgusting
7 go on!
8 some other time
9 we could

b Devine comment prononcer **1–9** en français.

2 Ecoute le dialogue p138 et note les différences.

message X

You'll hear two lines of the dialogue at a time, followed by a pause.
Each extract contains one difference with p138.

Exemple

1 *Yazid* – Alors, tu sors avec moi ce soir?
Elodie – Oh, arrête! → *1 ce soir*

3 Ecoute les mini-dialogues **1–8**.
Chaque fois, la question est:

Tu veux sortir avec moi?

Est-ce que les réponses **1–8** sont positives (**P**) ou négatives (**N**)?

4 Fais la Feuille 2.

5 A deux, inventez un dialogue différent entre Elodie et Yazid:
– écrivez le dialogue (minimum 12 lignes);
– entraînez-vous à jouer le dialogue.

Optional extras

Using familiar language in a variety of contexts
Coping with young people's language

1 Expressions utiles

Recopie les phrases **1–12** correctement.

message X

This can help you remember phrases which are useful whatever the topic.

1. Je ne comprends pas: mon coca est **pénible/dégoûtant**!
2. **L'autre jour /En ce moment**, je suis sortie avec Mohamed.
3. **Attends-moi!/Allez**! Je cherche mon argent.
4. Tu fumes toujours! **Si tu veux!/Ça suffit!**
5. Tu sors avec **quelqu'un/moi** en ce moment?
6. Avec Marc, c'est sérieux. **Je t'assure!/Si tu veux!**
7. **Allez?/Quoi?** Tu sors avec ma sœur maintenant?
8. Elle est pénible! Elle parle **tout le temps/une autre fois**!
9. **La semaine dernière/En ce moment**, je ne fume pas.
10. **Allez!/Une minute!** Dépêchez-vous!
11. Ben . . . non, je ne vais pas en vacances. **Ah bon?/Et alors?**
12. **Si tu veux/Excuse-moi**, on pourrait sortir dimanche.

Je ne comprends pas: mon coca est dégoûtant!

2 Langage . . . un peu spécial

Fais correspondre **1–10** avec les réactions **A–J**.

message **X**

The words in bold are slang: look them up in a dictionary. Being able to understand them is useful when mixing with young French people.

1 Regarde ma veste: elle est **moche**!

2 Mon frère cache toujours mes CD: il est **con**!

3 Tu as été au cinéma? Le film était **marrant**?

4 Tu veux inviter les profs à ta boum? Tu es **dingue**!

5 Oh, le café est **dégueulasse**!

6 Oh là, là! Ta jupe est **vachement** courte!

7 Je ne peux pas sortir: je suis **crevée**!

8 Regarde le **mec**: c'est qui?

9 Je sors avec une **nana** géniale!

10 Oh, regarde: mon *Walkman* est **fichu**!

CAFE

A Mais non, je n'invite pas les profs!

B Oui, il est pénible: prends ses jeux vidéo!

C Bof, il était assez ennuyeux, tu sais.

D C'est sérieux ou seulement pour les vacances?

E C'est normal, tu as fait quatre heures de sport!

F Oh non, elle est cool, je t'assure!

G Il travaille au centre sportif.

H Montre-moi . . . Mais non, regarde, ce n'est rien!

I Oui, c'est vrai, il est dégoûtant.

J Et alors? C'est mon style!

Optional extras

Stocktake of *Formule X 3* phrases of time and frequency

3 Temps et fréquence

a Révise les expressions de la Feuille 3.

b Utilise la page 143 et les cartes de la Feuille **4**: invente des jeux pour tester ta mémoire.

c Recopie et complète **1–10** avec des expressions de la Feuille 3.

message X

There are several ways of completing some of the sentences, but you only need to suggest one each time.

1. Pourquoi est-ce que tu sors ______?
2. Le prof arrive toujours ______!
3. C'est bizarre: il est ______ 11h et elle n'est pas rentrée.
4. ______, j'ai téléphoné au moins dix fois à ta sœur.
5. Tu vas en vacances ______?
6. Il est pénible! Il n'arrive jamais ______.
7. Est-ce qu'on peut visiter le château ______?
8. ______, j'arrive!
9. ______, mon père travaille dans une banque.
10. Le voyage en train va ______ quatre heures.

d Entraîne-toi à lire les 10 phrases de la section **c** à haute voix.

e Explique ces deux proverbes en anglais:

Avant l'heure, ce n'est pas l'heure. Après l'heure, c'est trop tard!

Après la pluie, le beau temps!

in July	during the holidays	during the week	to spend a week
for three days	every day	except on Mondays	between 8.00 and 9.00
to last	early	late (opposite of *early*)	late (opposite of *on time*)
already	on time	at last	finally
one moment	yesterday	last week	next
at the moment	the other day	some other time	all the time

More challenging activities

1 Ah, les clichés filles-garçons!

a Lis les commentaires **1–8** p145.

b A ton avis, qui parle à chaque fois: une fille ou un garçon?

2 Et toi, tu es comment?
Ecris deux paragraphes (minimum 30 mots + 30 mots).
Voici les deux thèmes:

Quand je suis au téléphone . . .

Quand je suis en ville le samedi après-midi . . .

message X

Use **1–8** p145 for ideas but adapt the language rather than copying whole extracts.

3 Et toi, tu es comment?
Entraîne-toi à parler pendant une minute ou plus.
Voici les deux thèmes:

Pour sortir . . .

Quand je vais dans une cafétéria . . .

message X

Use **1–8** p145 for ideas.
Use as few notes as possible.
Don't try to learn a long piece off by heart: it's OK to hesitate a little.

1

Pour sortir, c'est facile et c'est rapide: je prends une douche, je mets une chemise et un pantalon, et je sors! Mes copines sont très différentes: elles arrivent toujours en retard. Elles ont trop de vêtements, alors elles ont des problèmes pour choisir!

2

Quand je vais dans une cafétéria, c'est parce que j'ai faim. Je regarde le menu, je choisis, j'achète et je mange! Mais quand je suis avec une fille, c'est pénible parce qu'elles ont une obsession: les calories!

3

Quand je parle au téléphone avec une copine, on bavarde parce qu'on n'a pas toujours le temps au collège. Quand je parle au téléphone avec un copain, il dit «oui . . . », «non . . . », «d'accord . . . », et c'est tout!

4

Quand je vais en ville avec des copains le samedi après-midi, j'aime bien aller à la cafétéria, écouter des CD ou regarder les jeux vidéo dans les magasins. Avec des copines, c'est moins drôle parce qu'elles préfèrent regarder les vêtements.

5

Quand un copain téléphone, c'est rapide: deux ou trois minutes et c'est tout! Quand une fille téléphone, ça dure des heures: la famille . . . les copines . . . le collège . . . Souvent, je dis «Ouais? Ah ouais?», mais je n'écoute pas.

6

Quand je vais en ville avec des copines le samedi après-midi, on aime regarder les vêtements et comparer dans des magasins différents. Quand il y a des garçons avec nous, ils n'aiment pas entrer dans les magasins de vêtements avec nous. C'est pénible!

7

Pour sortir, je fais un effort: j'essaie quelques jupes . . . j'essaie quelques pantalons . . . je compare les couleurs . . . Souvent, les garçons sont différents parce qu'ils se préparent en deux minutes, alors le résultat n'est pas toujours idéal.

8

Quand je vais dans une cafétéria, je prends mon temps pour choisir et je prends mon temps pour manger. C'est normal, non? Mais les garçons? En cinq minutes, c'est fini! Ils mangent trop vite!

LOFT STORY

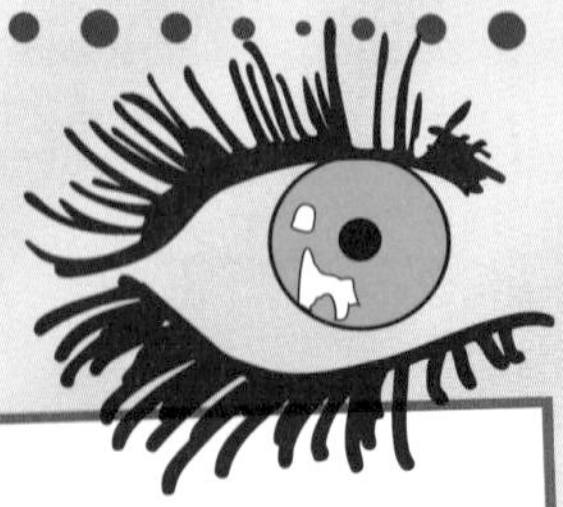

Loft Story: qu'est-ce que c'est?

Dans Big Brother, à la télévision britannique, des hommes et des femmes habitent dans une maison spéciale. Chaque semaine, après un vote, une personne doit quitter la maison. La dernière personne gagne beaucoup d'argent.

La télévision française a Loft Story, sur le modèle de Big Brother. Il y a quelques différences:

LOFT STORY
LOFT STORY
LOFT STORY

- il y a six garçons et cinq filles dans un appartement;
- une semaine plus tard, les filles votent pour éliminer un garçon;
- deux semaines plus tard, les garçons votent pour éliminer une fille, etc.;
- 70 jours plus tard, il y a seulement deux couples et le public choisit le couple final;

- le couple final doit habiter dans une maison pendant 45 jours, mais les visites sont possibles: famille, etc.
- après les 45 jours, le couple final choisit: gagner une maison en commun (environ £300,000) ou gagner une maison par personne (environ £150,000).

Loft Story: les participants

Pour les participants, il y a des dangers:

- les copains des participants donnent des secrets aux médias;
- les caméras 24 heures sur 24 sont difficiles à accepter: un participant, David, a quitté le loft après six jours à cause des caméras.

Après le loft, les participants sont des stars:

- ils trouvent souvent du travail dans la mode, la presse, le cinéma ou la télévision;
- . . . mais la popularité ne dure pas toujours.

LOFT
STORY

Après le loft, on est célèbre mais il y a des conséquences désagréables:

- l'anonymat est impossible;
- il y a de la jalousie dans le public.

Loft Story: succès et critiques

Beaucoup de personnes ont regardé la première série:

- 60% des Français ont regardé Loft Story une fois ou plus;
- le jeudi soir (quand un participant quitte le loft), 10 millions de Français ont regardé Loft Story.

Il y a aussi des critiques:

- Est-ce que Loft Story est de la télévision-réalité . . . ou de la télévision-poubelle?
- Les participants flirtent beaucoup pour rester dans le loft: est-ce que c'est moralement acceptable?
- Loft Story encourage peut-être le voyeurisme.

Rap

Demain, OK!

J'ai mal, j'ai mal, je suis malade,
Trop malade pour travailler.
Infections et pollution,
Attention!
La tête, la gorge, rien n'est OK,
Rien n'est OK.
Le cœur, la fièvre,
Je préfère rester couché.

Dans mon lit, le silence,
Les heures et les minutes.
Je n'ai pas soif, je n'ai pas faim,
Clinique et médecin?
Mais non! Repos!
Repos!

Pour un jour, pour une semaine,
Oublier, recommencer,
Au revoir, tous les problèmes,
Ça va!
Ça va! Demain, OK!
Demain, OK!

MC Solaar

L'uniforme idéal

Quel est l'uniforme idéal pour le collège? Décidez en groupe.

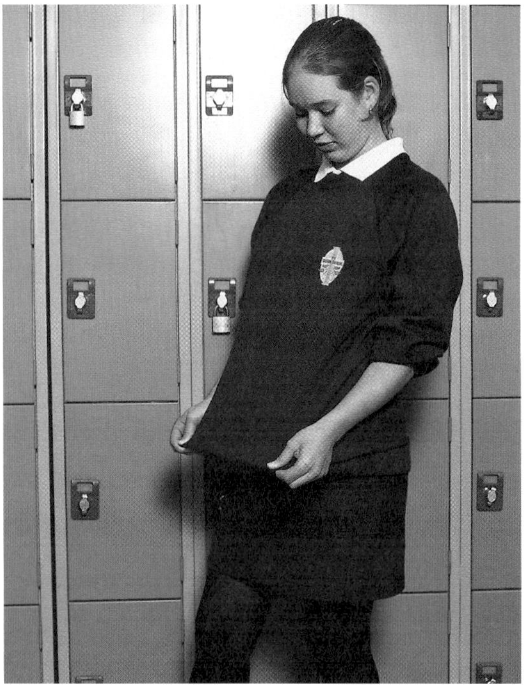

message X

You can, for example:

- make up a poster, for instance using a computer;
- prepare to give a short talk;
- make up a poster and prepare a short talk about it;

Your ideal school uniform can be serious... or not!

You can use Feuille **8** for extra vocabulary.

Dans le sac de sport...

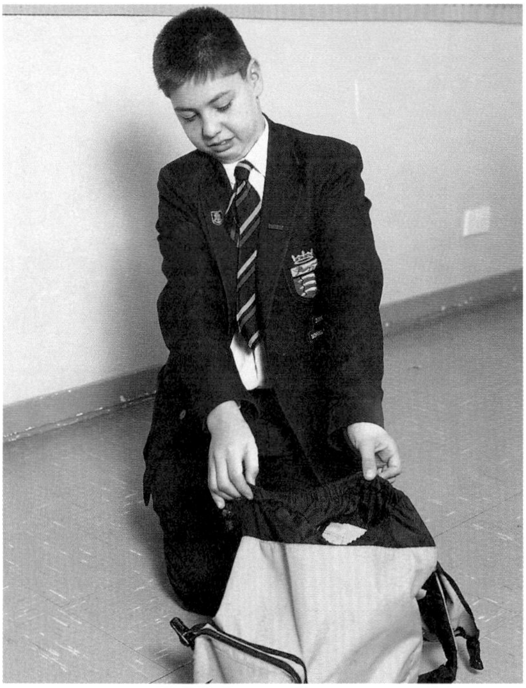

En groupe, inventez un rap. Le thème:

> Dans le sac de sport de...
> J'ai trouvé...

message X

Write at least 15 lines.

You can use Feuille **8** for extra vocabulary.

La météo

«La météo», en anglais, c'est the weather forecast.
La météo, c'est facile avec internet:

- utilise Yahoo France (*fr.yahoo.com*)
- clique sur **Météo**
- cherche une ville.

Exemple:
Paris – 29 octobre 2001

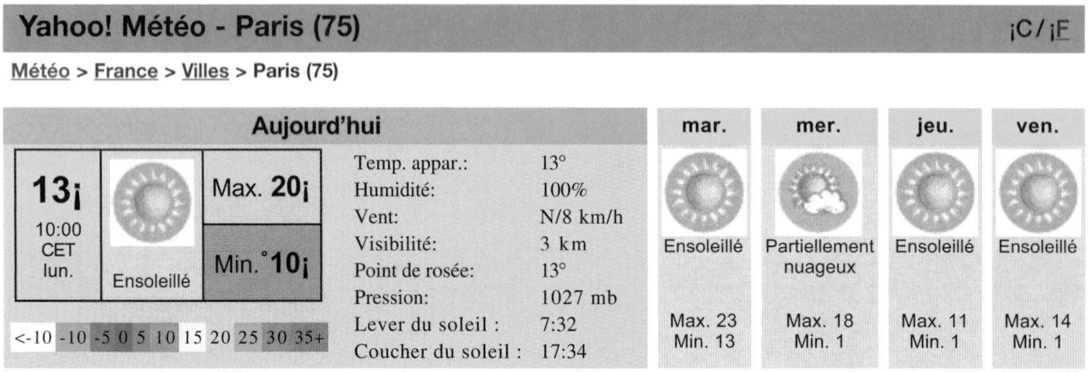
Yahoo! Météo - Paris (75) ¡C/¡F

Météo > France > Villes > Paris (75)

Aujourd'hui			mar.	mer.	jeu.	ven.
13¡ 10:00 CET lun. — Ensoleillé — Max. 20¡ / Min. °10¡	Temp. appar.:	13°	Ensoleillé	Partiellement nuageux	Ensoleillé	Ensoleillé
	Humidité:	100%				
	Vent:	N/8 km/h				
	Visibilité:	3 km				
	Point de rosée:	13°				
	Pression:	1027 mb				
<-10 -10 -5 0 5 10 15 20 25 30 35+	Lever du soleil :	7:32	Max. 23 Min. 13	Max. 18 Min. 1	Max. 11 Min. 1	Max. 14 Min. 1
	Coucher du soleil :	17:34				

A toi!

a A l'aide de Yahoo France, cherche la météo pour:
Paris – Marseille – Lille – Strasbourg – Bordeaux.
Objectif: compléter la Feuille **8**.

b A l'aide de l'information (Feuille **8**), réponds à **1–4**.

1. Quelle ville a le plus de vent?
2. Quelle ville est la plus chaude pour le moment?
3. Quelle ville va être la plus chaude aujourd'hui?
4. Quelle ville a le plus d'heures de soleil aujourd'hui?
5. Quelle ville a la plus petite température minimale?

Visites

Complète **1–12** par *le château, le musée* ou *la piscine* à l'aide du casse-tête (brain teaser).

Casse-tête

Le château ouvre après le musée.
Le château ouvre avant la piscine.

La piscine ferme après le château.
Le musée ferme avant le château.

La piscine ne ferme pas pour le déjeuner.
La pause-déjeuner est plus tôt au musée.

Le château est seulement ouvert six jours par semaine.
Le musée n'est pas ouvert pendant sept jours complets.

La piscine est idéale si on arrive en voiture.
L'accès au musée et au château est moins facile.

A

B

C

1 _____ ouvre à 7h30.

2 _____ ouvre à 9h30.

3 _____ ouvre à 10h.

4 _____ ferme à 17h30.

5 _____ ferme à 18h.

6 _____ ferme à 22h.

7 _____ est ouvert pour le déjeuner.

8 _____ ferme à 12h pour le déjeuner.

9 _____ ferme à 13h pour le déjeuner.

10 _____ est fermé le lundi.

11 _____ est fermé le lundi matin.

12 _____ est ouvert sept jours sur sept.

Au commissariat

Le témoin (witness) d'une attaque parle à la police.
Ecoute la description de l'agresseur et trouve-le (**1–9**).

1
2
3
4
5
6
7
8
9

Glossaire

le nez = the nose la bouche = the mouth le front = the forehead
le menton = the chin rond = round carré = square fin, fine = thin

Tu veux chanter?

Ah, les filles! Ah, les filles!

Je suis sorti avec Lucie
Il est sorti avec Lucie } (deux fois)
On est parti en autobus
Ils sont partis en autobus } (deux fois)
On est allé au cinéma
Ils sont allés au cinéma
On est entré, on a vu Paul
Ils sont entrés, ils ont vu Paul.
Ah, les filles! Ah, les filles!
Moi, j'aime ça! Moi, j'aime ça!
Ah, les filles! Ah, les filles!
Il aime ça! Il aime ça!

Paul est venu pour dire bonjour
Paul est venu pour dire bonjour } (deux fois)
Lucie est allée se maquiller
Lucie est allée se maquiller } (deux fois)
Elle est revenue près du bar
Elle est revenue près du bar
Je suis resté à bavarder
Il est resté à bavarder.
Ah, les filles! Ah, les filles!
Impatientes, impatientes!
Ah, les filles! Ah, les filles!
Elles n'aiment pas attendre!

Elle est sortie sans moi, sans Paul
Elle est sortie sans moi, sans Paul } (deux fois)
Elle est sortie sans voir le film
Elle est sortie sans voir le film } (deux fois)
Elle est partie avec Jean-Louis
Elle est partie avec Jean-Louis
Moi, je suis resté tout baba
Et il est resté tout baba.
Ah, les filles! Ah, les filles!
Inconstantes, inconstantes!
Ah, les filles! Ah, les filles!
Ça le tente, ça le tente! } (deux fois)

Poème

a Demande la Feuille **7** à ton professeur;

→ découpe les cartes;
→ reconstitue le poème à l'aide de la cassette/du CD.

La première ligne est:

Tôt ou tard, on devient ado

La dernière ligne est:

Tôt ou tard, mais où va l'argent?

b Entraîne-toi à dire le poème à l'aide de la cassette/du CD.

Glossaire

on devient (devenir) = we become
un ado/adolescent = a teenager
une moto = a motorbike
un désir = a desire
un chagrin = a heartbreak
un examen = an exam
la liberté = freedom
un enfant = a child

Tu veux chanter?

Cacahuètes et allumettes

On est sorti un samedi, il était onze heures-midi,	
On est parti en voiture pique-niquer dans la nature.	
On avait bien planifié, on avait bien préparé,	
On a pris tous nos paniers*, et bien sûr sans oublier:	baskets
Les cacahuètes, l'apéritif,*	peanuts
L'anti-moustique et les casquettes;*	anti-mosquito cream
Le ketchup et la mayonnaise,	
L'Ambre Solaire et les cure-dents;*	toothpicks
Les couvertures, le chocolat,*	blankets
L'eau minérale et le PQ.*	toilet paper (slang)
Les allumettes, le gros poulet,*	matches
Les champignons et la radio;*	mushrooms
Dans ma région quand il pleut, c'est toujours assez sérieux,	
Etre patient quand ça dure, ce n'est pas dans ma nature.	
On est arrivé très vite et parti encore plus vite,	
On a repris* nos paniers, et bien sûr sans oublier:	gathered
Les cacahuètes... (deux fois)	

GOLD

RelaX!

Définitions

Lis les définitions: qu'est-ce que c'est?

message X

Each definition describes a noun taught in *Formule X 3*.

A C'est en plastique. Tu es en ville et tu veux téléphoner? C'est utile si tu n'as pas de portable et si tu n'as pas d'argent.

B Tu veux connaître le temps demain? Tu peux regarder [redacted] à la télévision ou sur internet. Tu peux aussi écouter [redacted] à la radio.

C Tu es dans un magasin de vêtements et tu veux essayer un pantalon? Va dans la [redacted] .

D Il y a souvent des [redacted] dans les parcs et dans les jardins. Les oiseaux aiment beaucoup les [redacted] .

E Tu n'aimes pas la mer parce que tu n'aimes pas l'eau? Tu n'aimes pas la montagnes parce que tu trouves ça dangereux? Passe tes vacances à [redacted] !

F Tu te laves les cheveux et tu dois sortir dans dix minutes? Vite, cherche ton [redacted] !

G Quel temps! Quand il y a [redacted] , on ne voit pas bien dans la rue et c'est dangereux pour les voitures.

H C'est pour les malades, pour les opérations et pour les personnes qui ont eu un accident.

I C'est le soir et tu es chez toi. Tu veux parler à un copain mais tes parents sont curieux? Si tu as [redacted] , tu peux appeler dans ta chambre.

J Quelquefois, quand on a mal à [redacted] , on ne peut plus parler pendant quelques jours.

Tu veux chanter?

C'est fou!

Il a les cheveux bruns et les yeux verts, super,	
Mais il a l'air timide,	
Moi, qu'est-ce que je vais dire?	
Il a les cheveux longs et les yeux doux*, c'est cool,	soft
Mais il a l'air sérieux,	
Moi, qu'est-ce que je vais faire?	
Filles et garçons… les relations… pas toujours bon!	
C'est fou*!	mad, crazy
Elle a les cheveux blonds et les yeux bleus, mon dieu*!	my God
Mais elle a l'air hostile,	
Moi, qu'est-ce que je vais dire?	
Et dans ses cheveux blonds il y a du roux, c'est doux*,	soft
Mais elle a l'air bizarre,	
Moi, qu'est-ce que je vais faire?	
Filles et garçons… les relations… pas toujours bon!	
C'est fou*!	mad, crazy

Filles et garçons…

La France et ses départements

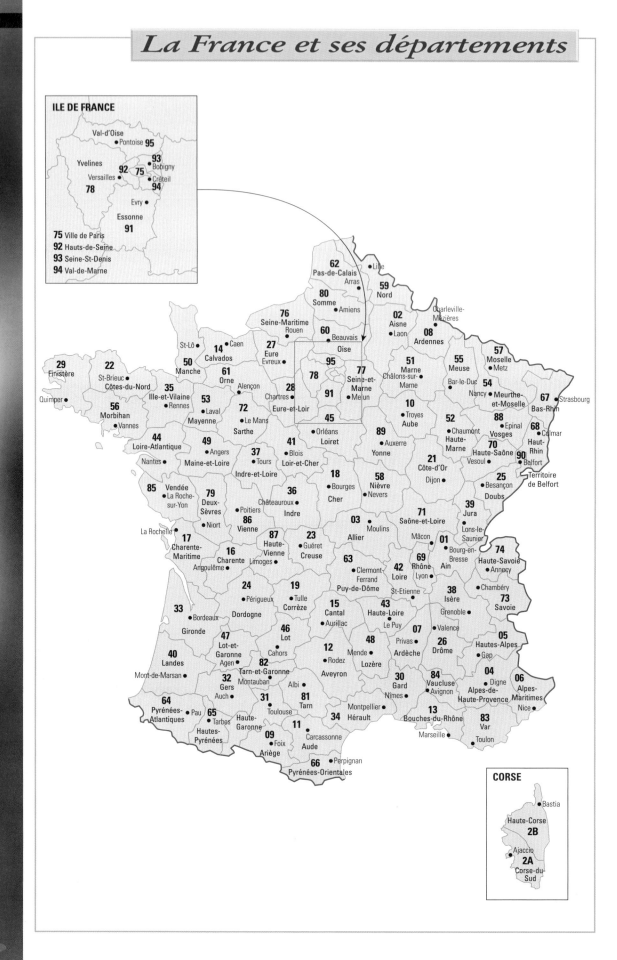

ILE DE FRANCE
Val-d'Oise
Pontoise 95
Yvelines
93
Bobigny
92
75
Versailles
Créteil
78
94
Evry
Essonne
91
75 Ville de Paris
92 Hauts-de-Seine
93 Seine-St-Denis
94 Val-de-Marne
62 Pas-de-Calais
Lille
Arras
59 Nord
80 Somme
Amiens
76 Seine-Maritime
Rouen
02 Aisne
Laon
Charleville-Mézières
08 Ardennes
60 Oise
Beauvais
St-Lô
14 Calvados
Caen
27 Eure
Evreux
50 Manche
61 Orne
Alençon
95
78
77 Seine-et-Marne
91
Melun
28 Eure-et-Loir
Chartres
51 Marne
Châlons-sur-Marne
55 Meuse
Bar-le-Duc
57 Moselle
Metz
54 Meurthe-et-Moselle
Nancy
67 Bas-Rhin
Strasbourg
29 Finistère
Quimper
22 Côtes-du-Nord
St-Brieuc
35 Ille-et-Vilaine
Rennes
56 Morbihan
Vannes
53 Mayenne
Laval
72 Sarthe
Le Mans
45 Loiret
Orléans
10 Aube
Troyes
52 Haute-Marne
Chaumont
88 Vosges
Epinal
68 Haut-Rhin
Colmar
44 Loire-Atlantique
Nantes
49 Maine-et-Loire
Angers
37 Indre-et-Loire
Tours
41 Loir-et-Cher
Blois
89 Yonne
Auxerre
21 Côte-d'Or
Dijon
70 Haute-Saône
Vesoul
90 Belfort
Territoire de Belfort
25 Doubs
Besançon
85 Vendée
La Roche-sur-Yon
79 Deux-Sèvres
Niort
86 Vienne
Poitiers
36 Indre
Châteauroux
18 Cher
Bourges
58 Nièvre
Nevers
39 Jura
Lons-le-Saunier
71 Saône-et-Loire
Mâcon
03 Allier
Moulins
La Rochelle
17 Charente-Maritime
16 Charente
Angoulême
87 Haute-Vienne
Limoges
23 Creuse
Guéret
63 Puy-de-Dôme
Clermont-Ferrand
42 Loire
St-Etienne
69 Rhône
Lyon
01 Ain
Bourg-en-Bresse
74 Haute-Savoie
Annecy
73 Savoie
Chambéry
38 Isère
Grenoble
24 Dordogne
Périgueux
19 Corrèze
Tulle
15 Cantal
Aurillac
43 Haute-Loire
Le Puy
07 Ardèche
Privas
26 Drôme
Valence
05 Hautes-Alpes
Gap
33 Gironde
Bordeaux
47 Lot-et-Garonne
Agen
46 Lot
Cahors
12 Aveyron
Rodez
48 Lozère
Mende
40 Landes
Mont-de-Marsan
82 Tarn-et-Garonne
Montauban
30 Gard
Nîmes
84 Vaucluse
Avignon
04 Alpes-de-Haute-Provence
Digne
06 Alpes-Maritimes
Nice
32 Gers
Auch
81 Tarn
Albi
31 Haute-Garonne
Toulouse
64 Pyrénées-Atlantiques
Pau
65 Hautes-Pyrénées
Tarbes
34 Hérault
Montpellier
13 Bouches-du-Rhône
Marseille
83 Var
Toulon
11 Aude
Carcassonne
09 Ariège
Foix
66 Pyrénées-Orientales
Perpignan
CORSE
Bastia
Haute-Corse
2B
Ajaccio
2A
Corse-du-Sud

Les pays francophones

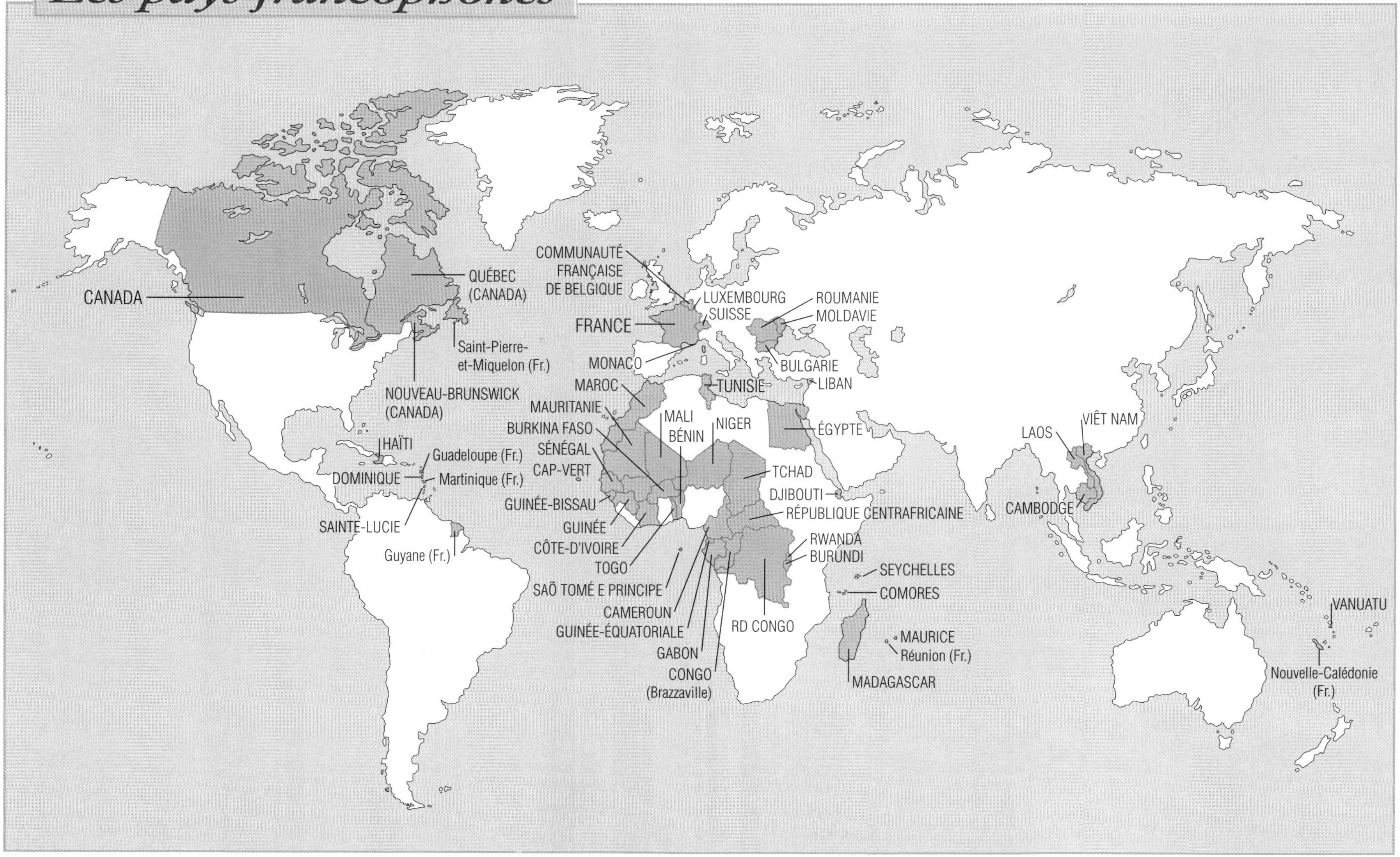

CANADA
QUÉBEC (CANADA)
Saint-Pierre-et-Miquelon (Fr.)
NOUVEAU-BRUNSWICK (CANADA)
HAÏTI
Guadeloupe (Fr.)
DOMINIQUE
Martinique (Fr.)
SAINTE-LUCIE
Guyane (Fr.)
COMMUNAUTÉ FRANÇAISE DE BELGIQUE
FRANCE
MONACO
LUXEMBOURG
SUISSE
ROUMANIE
MOLDAVIE
BULGARIE
LIBAN
TUNISIE
MAROC
MAURITANIE
BURKINA FASO
SÉNÉGAL
CAP-VERT
GUINÉE-BISSAU
GUINÉE
CÔTE-D'IVOIRE
TOGO
SAÕ TOMÉ E PRINCIPE
CAMEROUN
GUINÉE-ÉQUATORIALE
GABON
CONGO (Brazzaville)
MALI
BÉNIN
NIGER
ÉGYPTE
TCHAD
DJIBOUTI
RÉPUBLIQUE CENTRAFRICAINE
RWANDA
BURUNDI
RD CONGO
SEYCHELLES
COMORES
MAURICE
Réunion (Fr.)
MADAGASCAR
LAOS
VIÊT NAM
CAMBODGE
VANUATU
Nouvelle-Calédonie (Fr.)

Published by Collins Educational
An imprint of HarperCollins*Publishers* Ltd
77–85 Fulham Palace Road
Hammersmith
London
W6 8JB

www.**Collins**Education.com
On-line support for schools and colleges

First published 2002

ISBN 0-00-320280-1

British Library Cataloguing in Publication Data
A catalogue record for this book is available from the British Library.

Publishing Manager Anna Samuels
Designed by Bob Vickers and Eric Drewery (*Relax!* section)
Edited by Alexia Georgiou
Cover design by Blue Pig Design Co
Production by Katie Morris
Photo research by Olga Vitale
Printed and bound by Scotprint

Acknowledgements

The Author and Publishers would like to thank the following for their assistance during the writing and production of *Formule X* Book 3:

Alison Edwards; Sue Hewer; Anne Maclennan, The Duke of York's Royal Military School; Mandy Margham, St Bede's RC High School; Kate Townshend, Moorside High School, for assistance in the development of, and for commenting on, the manuscript.

For their help with photographs for *Formule X* Book 3, we are especially grateful to the staff and pupils of the Collège Giroud de Villette, Clamecy, France (in particular Mme Allard-Balboux, 4e3, 4e6, Mme Bédrune, Mme Lebeau, Mme Lietaert and Mme Pétavy); the Collège Jean Roch Coignet, Courson-lès-Carrières, France (in particular M. Gouère, 4eB, Mme Dupasquier, Mme Le Moing, and M. Pautet); The Green School, Isleworth, and Isleworth and Syon School (with thanks to Janette Woolley); and to Steve Lumb and Florence Bramoullé.

We would also like to give special thanks to *New Sport*, Clamecy, for the use of their premises and to M. Guillemenot of the Brigade de Gendarmerie in Courson-lès-Carrières.

WALKMAN and/or SONY WALKMAN are trademarks of the Sony Corporation.

Realia
pp146, 147 stills from *Loft Story*, from Agence France Presse

Photos
ALLSPORTS: pp 33, 34, 46, 103
Art Directors & TRIP Photo Library: pp 48, 63 (top), 132, 133
Tim Booth: pp 17, 25, 77, 118, 119, 128
CORBIS: p 62 (bottom)
Fête de la Musique 2001 poster: "made in Marseilles by tous des K": p 21
Steve Lumb: pp 8, 11, 15, 18, 19, 22–24, 27, 29, 32, 45, 50, 59, 64, 66–69, 72–74, 78–82, 85, 87, 93–97, 102, 103 (top), 104 (bottom 3), 106, 108–110, 123, 130, 134, 136, 138, 144, 149, 157
Musée: Les Abattoirs, Toulouse 2000. Architects: Antoine Stinco and Rémy Papillaut. Photographer: Jean-Marie Monthiers: p 13
Océanopolis, Brest: p 62
STARFACE Agence de Presse: p 148
O.Vitale Collection: pp 10, 12, 20, 26, 35–37, 39–41, 47, 51–53, 55, 63 (bottom), 83, 88, 104 (top right), 105, 111, 125
WINDRUSH PHOTOS: p 117
WM Evénement: "Mur pour la Paix" and logo for "l'Incroyable Pique-nique": p 49

Illustrations
Kathy Baxendale: pp 39, 158
John Erasmus (Sylvie Poggio Artists' Agency): p 38
Nigel Kitching (Sylvie Poggio Artists' Agency): pp 8, 12, 16, 22, 31, 56, 60, 70, 71, 92, 95, 107, 112–114 (left), 116, 129, 132, 140, 142, 152
Paul McCaffrey (Sylvie Poggio Artists' Agency): pp 23, 27, 34, 58, 78, 84, 90, 91, 93, 111, 123, 126 (bottom)
Rodney Paull: p 159
Simon Pike: pp 120, 122, 124
Mel Sharp (Sylvie Poggio Artists' Agency): pp 42, 57, 59, 126, 127, 155
Phil Smith (Sylvie Poggio Artists' Agency): pp 14, 30, 61, 65, 86, 99, 101, 114 (left), 115, 135, 139, 141, 154
Sarah Warburton (Sylvie Poggio Artists' Agency): pp 43, 44, 49, 151

Every effort has been made to contact the holders of copyright material, but if any have been inadvertently overlooked, the Publishers will be pleased to make the necessary arrangements at the first opportunity.